BITCOIN
A MOEDA NA ERA DIGITAL

Fernando Ulrich

BITCOIN
A MOEDA NA ERA DIGITAL

1ª Edição

Mises Brasil
2014

Título
BITCOIN - A MOEDA NA ERA DIGITAL

Autor
Fernando Ulrich

Esta obra foi editada por:
Instituto Ludwig Von Mises Brasil
Rua Iguatemi, 448, conj. 405 – Itaim Bibi
São Paulo – SP
Tel: (11) 3704-3782

Impresso no Brasil / *Printed in Brazil*

ISBN: 978-85-8119-076-1

1ª Edição

Revisão
Leandro Augusto Gomes Roque
Fernando Fiori Chiocca

Revisão Final
Alexandre Guaspari Barreto

Capa
Neuen Design

Projeto gráfico
Estúdio Zebra

Ficha Catalográfica elaborada pelo bibliotecário
Pedro Anizio Gomes– CRB/8 – 8846

U45b ULRICH, Fernando
Bitcoin: a moeda na era digital / Fernando Ulrich. -- São Paulo : Instituto Ludwig von Mises Brasil, 2014.
100p.

ISBN: 978-85-8119-076-1

1. Moeda 2. Tecnologia 3. Sistema Monetário
4. Liberdade 5. Dinheiro I. Título.

CDD - 332.4:004.678

Índice para catálogo sistemático:

1. Dinheiro - 332.4
2. Tecnologia (internet) - 004.678

Sumário

Agradecimentos

Primeiramente, agradeço aos irmãos Fernando e Roberto Fiori Chiocca pela ideia deste livro e pela confiança em mim depositada como encarregado da realização deste projeto. Sem esse estímulo inicial, talvez esta obra jamais tivesse sido escrita. Agradeço ao Instituto Ludwig von Mises Brasil (IMB) pela publicação e ao Helio Beltrão, presidente do IMB, pelo convite para fazer parte dessa nobre instituição e pelo apoio a mim sempre dispensado, especialmente em relação a esta iniciativa.

Pela cuidadosa e rigorosa revisão, agradeço ao Leandro Roque, editor do IMB, e, novamente, ao Fernando Fiori Chiocca. Pela revisão final, sempre precisa e meticulosa, agradeço ao Alexandre Barreto. Agradeço também ao Jerry Brito e à Andrea Castillo pela permissão para traduzir parte de sua obra aqui reproduzida no segundo capítulo.

Não posso deixar de mencionar dois brilhantes economistas por desbravar o estudo econômico aplicado ao Bitcoin de forma formidável e original, Konrad S. Graf e Peter Šurda. Agradeço também ao Jeffrey Tucker pelo belo prefácio e pela sua sempre contagiante defesa da liberdade.

Por fim, agradeço à minha família pelo carinho e suporte constante durante a realização deste livro, em especial, à minha esposa, Karine, pela paciência inesgotável, pela energia sempre positiva e pelo incentivo fundamental para a conclusão desta obra.

Ao Joaquim, que a sua geração colha
os frutos de uma moeda honesta

PREFÁCIO

BITCOIN, A NOVA MOEDA INTERNACIONAL

POR JEFFREY TUCKER

POR MUITOS SÉCULOS, A MOEDA EM CADA PAÍS era distintos nomes para essencialmente a mesma coisa: uma commodity, geralmente ouro ou prata. Estes eram o que o mercado havia selecionado pelas suas propriedades únicas particularmente adequadas à função monetária. Esse universalismo da moeda serviu bem ao mundo porque promovia o livre-comércio, auxiliando os comerciantes no cálculo econômico, e provia um freio sólido e confiável ao poder dos governos. Ela limitava o impulso nacionalista.

Duas formas de nacionalismo arruinaram o sistema monetário antigo. Os próprios estados-nação descobriram que o melhor meio para o aumento do poder se dava pela depreciação do dinheiro, o que acaba sendo menos doloroso e mais opaco do que o método tradicional de tributar a população. Para escaparem imunes desse processo, governos promoviam zonas cambiais, protecionismo e controle de capitais, removendo, assim, um elemento do crescente universalismo do mundo antigo.

Então, no início do século XX, os governos nacionalizaram a própria moeda, removendo-a do setor das forças competitivas de mercado. O banco central foi, nesse sentido, uma forma de socialismo, mas de uma variedade especial. Governos seriam o arbitrador final no destino do dinheiro, mas a sua gestão diária seria tarefa do cartel dos bancos com a garantia de proteção contra a falência – à custa da população.

O novo poder de criação de moeda sob o regime de bancos centrais foi imediatamente posto em prática por meio das mortes em massa da Primeira Guerra Mundial. Foi uma guerra total e absoluta – a primeira guerra internacional da história que fez de toda a população parte do esforço de guerra – e financiada por endividamento lastreado no novo poder mágico dos governos de usar o sistema bancário para fabricar receita com a impressora de dinheiro.

Oposição intelectual a essas políticas nefastas emergiram durante o período entreguerras. Os economistas austríacos lideraram a batalha em direção à reforma. A não ser que alguma coisa fosse feita para desnacionalizar e privatizar o dinheiro, alertaram eles, o resultado seria uma série infinita de ciclos econômicos, guerras, inflações catastróficas, e a contínua ascensão do estado leviatã. A suas previsões foram assustadoras e precisas, mas não são motivo de satisfação, pois foram impotentes para impedir o inevitável. No decorrer do século, a maior parte dos bens e serviços da sociedade estava melhorando em qualidade, mas a moeda, agora removida das forças de mercado, apenas piorava. Tornou-se o catalizador do despotismo.

Durante todas essas décadas, lidar com esse problema foi algo que intrigou os economistas. A moeda precisava ser reformada. Mas o governo e os cartéis bancários não tinham nenhum interesse nessa empreitada. Eles beneficiavam-se desse sistema ruim. Centenas de livros e conferências foram realizados incitando uma restauração do universalismo do mundo antigo do padrão-ouro. Os governos, porém, os ignoraram. O impasse tornou-se particularmente intenso depois de os últimos vestígios do padrão-ouro serem eliminados na década de 70. Mentes brilhantes tinham prateleiras repletas de planos de reforma, mas eles acumularam nada além de pó.

Tal era a situação até 2008, quando então Satoshi Nakamoto tomou a iniciativa incrível de reinventar a moeda na forma de código de computador. O resultado foi o Bitcoin, introduzido ao mundo na forma menos promissora possível. Nakamoto lançou-o com um white paper em um fórum aberto: aqui está uma nova moeda e um sistema de pagamento. Usem se quiserem.

Agora, para sermos justos, já haviam ocorrido tentativas prévias de projetar tal sistema, mas todas falharam por uma das duas razões: 1) eram usualmente detidas de forma proprietária por uma empresa comercial e, portanto, apresentavam um ponto centralizado de falha; ou 2) não superavam o chamado problema do “gasto duplo”. O Bitcoin, por outro lado, era absolutamente não reproduzível e construído de tal modo que seu registro histórico de transações possibilitava que cada unidade monetária fosse conciliada e verificada no decorrer da evolução da moeda. Ademais, e o que era essencial, a moeda residia em uma rede de código-fonte aberto, não sendo propriedade de ninguém em particular, removendo, assim, o problema de um ponto único de falha. Havia outros elementos também: a criptografia, uma rede distribuída, e um desenvolvimento contínuo tornado possível por meio de desenvolvedores pagos pelos serviços de verificação de transações por eles providos.

Dificilmente passa um dia sem que eu – assim como muitos outros – me maravilhe na formidável genialidade desse sistema; tão meticuloso, tão aparentemente completo, tão puro. Muitas pessoas, até mesmo economistas da Escola Austríaca, estavam convencidas da impossibilidade de reinventar o dinheiro em bases privadas (F. A. Hayek foi a grande exceção, tendo sugerido a ideia ao redor de 1974). Entretanto, tornou-se um fato inegável que o Bitcoin existia e obtinha um valor de mercado. Dois anos após ter sido lançado ao mundo, o bitcoin atingiu a paridade com o dólar americano – algo imaginado como possível por muito poucos.

Hoje reverenciamos o acontecimento. Temos diante de nós mesmos uma moeda internacional emergente, criada inteiramente pelas forças de mercado. O sistema está sendo reformado não porque banqueiros centrais o desejem, não por causa de uma conferência internacional, tampouco porque um grupo de acadêmicos se reuniu e formulou um plano. Está sendo reformado, na verdade, de fora para dentro e de baixo para cima, baseado nos princípios do empreendedorismo e das trocas de mercado. É realmente incrível o quanto todo o processo que se desenrola diante de nosso testemunho se conforma ao modelo delineado pela teoria da origem do dinheiro de Carl Menger. Há apenas uma diferença, que surpreendeu o mundo: a base do valor do Bitcoin jaz não no seu uso prévio no escambo, conforme Menger descreveu, mas sim no seu uso atual como um sistema de pagamento. Quão privilegiados somos de testemunhar esse acontecimento no nosso tempo!

E qual é o potencial? O Bitcoin tem todas as melhores características do melhor dinheiro, sendo escasso, divisível, portátil, mas vai, inclusive, além na direção do ideal monetário, por ser ao mesmo tempo "sem peso e sem espaço" – é incorpóreo. Isso possibilita a transferência de propriedade a despeito da geografia a um custo virtualmente nulo e sem depender de um terceiro intermediário, contornando, dessa forma, todo o sistema bancário completamente subvertido pela intervenção governamental. O Bitcoin, então, propicia a perspectiva de restaurar a solidez e o universalismo do padrão-ouro do mundo antigo, além de aprimorá-lo por existir fora do controle direto do governo. Isso é, mais uma vez, digno de admiração.

Muitos têm alertado que governos não tolerarão que o sistema monetário seja reformado por um punhado de cyberpunks e seu dinheiro mágico de internet. Haverá intervenções. Haverá regulações. Haverá taxações. Haverá também tentativas de controlar. Mas olhemos a história recente. Governos tentaram impedir e então nacionalizar os correios. Buscaram impedir o compartilhamento de arquivos. Procuraram acabar com a pirataria. Tentaram também suspender a distribuição online de fármacos. Tentaram acabar com o uso, a fabricação e distribuição online de drogas. Buscaram gerir e controlar o desenvolvimento de software por meio de patentes e leis antitruste. Se tentarem barrar ou até mesmo controlar uma criptomoeda, não terão êxito. Serão novamente derrotados pelas forças de mercado.

E aqui está a ironia. A forma mais direta com a qual os governos podem controlar o Bitcoin é intervindo na conversão entre a moeda digital e as moedas nacionalizadas. Quanto mais eles intervêm, mais eles incentivam os indivíduos a mover-se ao e permanecer no ecossistema do Bitcoin. Todas essas tentativas poderiam acabar alimentando o mercado. Mas há outras razões, além dessa consideração, que fazem de uma criptomoeda algo irreversível: taxas de transações praticamente nulas, segurança, proteção contra fraude, velocidade, privacidade e muito mais. Bitcoin é simplesmente uma tecnologia superior.

Cem anos atrás, o desenvolvimento da moeda foi retirado das forças de mercado e posto nas mãos dos governos. As consequências foram guerra, instabilidade econômica, o furto dos poupadores, exploração em massa e a explosão do poder e tamanho dos estados ao redor de todo o mundo. A criptomoeda proporciona a perspectiva de não somente reverter essas tendências, mas, também, de jogar um papel crucial na construção de um novo mundo de liberdade.

O que podemos todos nós aprender com a recente história do Bitcoin? Seja honesto: praticamente ninguém pensou que isso seria possível. Os mercados provaram o contrário. A lição nos ensina a sermos humildes, a olharmos para fora da janela, estando dispostos a sermos surpreendidos, deferindo aos resultados da ação humana, e nunca deixarmos nossa teoria interferir no nosso entendimento, e esperarmos que o mercado entregue muito mais do que jamais imaginamos ser possível.

Por tudo isso é tão importante o livro que você tem em mãos. Publicado pelo prestigioso Instituto Ludwig von Mises Brasil, nesta obra Fernando Ulrich explica o funcionamento e o potencial do Bitcoin em relação ao futuro da moeda, da política nacional e da própria liberdade humana.

Capítulo I

Introdução

À PRIMEIRA VISTA, ENTENDER O QUE É BITCOIN não é uma tarefa fácil. A tecnologia é tão inovadora, abarca tantos conceitos de distintos campos do conhecimento humano – e, além disso, rompe inúmeros paradigmas – que explicar o fenômeno pode ser uma missão ingrata.

Em poucas palavras, o Bitcoin é uma forma de dinheiro, assim como o real, o dólar ou o euro, com a diferença de ser puramente digital e não ser emitido por nenhum governo. O seu valor é determinado livremente pelos indivíduos no mercado. Para transações online, é a forma ideal de pagamento, pois é rápido, barato e seguro. Você lembra como a internet e o e-mail revolucionaram a comunicação? Antes, para enviar uma mensagem a uma pessoa do outro lado da Terra, era necessário fazer isso pelos correios. Nada mais antiquado. Você dependia de um intermediário para, fisicamente, entregar uma mensagem. Pois é, retornar a essa realidade é inimaginável. O que o e-mail fez com a informação, o Bitcoin fará com o dinheiro. Com o Bitcoin você pode transferir fundos de A para B em qualquer parte do mundo sem jamais precisar confiar em um terceiro para essa simples tarefa. É uma tecnologia realmente inovadora.

Mas como ele funciona na prática? Quais os benefícios e desafios do Bitcoin? A primeira parte desta obra é dedicada justamente a explicar o que é a tecnologia, suas principais características e como ela opera, bem como as suas vantagens e desafios. Será possível entender os detalhes de seu funcionamento e algumas das implicações dessa inovação tecnológica.

Entendido o básico sobre o Bitcoin, partiremos ao capítulo seguinte, buscando compreender o contexto e a história do surgimento da tecnologia. Muito mais do que algo aparentemente repentino, veremos como o Bitcoin é fruto de anos de intensa pesquisa em ciência da computação. Procuraremos contextualizar o aparecimento do Bitcoin, abordando em detalhes a ordem monetária atual e sua evolução até o presente. Será possível entender não apenas o altíssimo nível de intervenção presente no sistema financeiro moderno, mas também como o Bitcoin é uma resposta direta a esse estado de coisas.

Concluído esse capítulo, entraremos na parte mais densa desta obra, dedicada especialmente aos economistas, em que aplicaremos todo o ferramental teórico da ciência econômica – alicerçado principalmente na teoria monetária desenvolvida por Ludwig von Mises – para analisar o fenômeno Bitcoin sob todos os ângulos possíveis[1]. Como veremos adiante, a compreensão do seu surgimento no mercado e das suas particularidades e vantagens comparadas às formas de moeda hoje existentes nos permitirá realizar uma análise do Bitcoin plena e fundamentada. Abordando peculiaridades desde a falta de lastro, até a intangibilidade, a oferta inelástica e a ausência de um emissor central, etc., será possível aperfeiçoar o entendimento não somente do Bitcoin, mas, até mesmo, da própria noção de dinheiro no sentido estritamente econômico do termo. Encerraremos esse capítulo revisitando a definição de moeda como é comumente entendida, propondo, inclusive, um refinamento dela.

Por fim, defenderemos, na última parte do livro, o ideal de liberdade monetária, demonstrando a sua imprescindibilidade a qualquer sociedade que almeje a prosperidade e a paz – ideal pelo qual renomados economistas liberais lutaram durante décadas, tendo todos, igualmente, fracassado. Aproveitaremos esse momento para expor nossas conclusões sobre o porquê desses sucessivos malogros e, finalmente, compreender a essência do Bitcoin e como ele se encaixa nesse cenário. O futuro da moeda será o pano de fundo para a conclusão da obra.

Embora este livro seja uma introdução do Bitcoin ao público leigo, ele é, sobretudo, uma obra de ciência econômica aplicada à mais recente inovação no âmbito monetário. Espero, portanto, que ele possa contribuir ao progresso da economia, agregando perspectivas originais e aprimorando o entendimento dos fenômenos monetários segundo a tradição da Escola Austríaca iniciada por Carl Menger.

Em definitivo, o Bitcoin é a maior inovação tecnológica desde a internet, é revolucionário, sem precedentes e tem o potencial de mudar o mundo de uma forma jamais vista. À moeda, ele é o futuro. Ao avanço da liberdade individual, é uma esperança e uma grata novidade.

Boa leitura,
10 de fevereiro de 2014.
Fernando Ulrich

1 Àqueles que detêm pouco conhecimento em economia, poderá ser um pouco difícil acompanhar esse capítulo, embora tenhamos nos esforçado para deixá-lo o mais palatável possível.

Capítulo II

Bitcoin: o que é e como funciona

1. O que é Bitcoin

BITCOIN É UMA MOEDA DIGITAL *peer-to-peer* (par a par ou, simplesmente, de ponto a ponto), de código aberto, que não depende de uma autoridade central. Entre muitas outras coisas, o que faz o Bitcoin ser único é o fato de ele ser o primeiro sistema de pagamentos global totalmente descentralizado. Ainda que à primeira vista possa parecer complicado, os conceitos fundamentais não são difíceis de compreender.

Visão geral

Até a invenção do Bitcoin, em 2008, pelo programador não identificado conhecido apenas pelo nome Satoshi Nakamoto, transações online sempre requereram um terceiro intermediário de confiança. Por exemplo, se Maria quisesse enviar 100 u.m. ao João por meio da internet, ela teria que depender de serviços de terceiros como PayPal ou Mastercard. Intermediários como o PayPal mantêm um registro dos saldos em conta dos clientes. Quando Maria envia 100 u.m ao João, o PayPal debita a quantia de sua conta, creditando-a na de João. Sem tais intermediários, um dinheiro digital poderia ser gasto duas vezes. Imagine que não haja intermediários com registros históricos, e que o dinheiro digital seja simplesmente um arquivo de computador, da mesma forma que documentos digitais são arquivos de computador. Maria poderia enviar ao João 100 u.m. simplesmente anexando o arquivo de dinheiro em uma mensagem. Mas assim como ocorre com um e-mail, enviar um arquivo como anexo não o remove do computador originador da mensagem eletrônica. Maria reteria a cópia do arquivo após tê-lo enviado anexado à mensagem. Dessa forma, ela poderia facilmente enviar as mesmas 100 u.m. ao Marcos. Em ciência da computação, isso é conhecido como o problema do "gasto duplo", e, até o advento do Bitcoin, essa questão só poderia ser solucionada por meio de um terceiro de confiança que empregasse um registro histórico de transações.

A invenção do Bitcoin é revolucionária porque, pela primeira vez, o problema do gasto duplo pode ser resolvido sem a necessidade de um terceiro; Bitcoin o faz

---

[Nota do autor]: Este segundo capítulo é uma tradução da obra de Jerry Brito e Andrea Castillo, "Bitcoin: A Primer for Policymakers" (Arlington, VA: Mercatus Center at George Mason University, 2013). A seção final sobre regulação foi reduzida visando adequá-la ao público brasileiro.

distribuindo o imprescindível registro histórico a todos os usuários do sistema via uma rede *peer-to-peer.* Todas as transações que ocorrem na economia Bitcoin são registradas em uma espécie de livro-razão[2] público e distribuído chamado de *blockchain* (corrente de blocos, ou simplesmente um registro público de transações), o que nada mais é do que um grande banco de dados público, contendo o histórico de todas as transações realizadas. Novas transações são verificadas contra o *blockchain* de modo a assegurar que os mesmos bitcoins[3] não tenham sido previamente gastos, eliminando assim o problema do gasto duplo. A rede global *peer-to-peer*, composta de milhares de usuários, torna-se o próprio intermediário; Maria e João podem transacionar sem o PayPal.

É importante notar que as transações na rede Bitcoin não são denominadas em dólares, euros ou reais, como são no PayPal ou Mastercard; em vez disso, são denominadas em bitcoins. Isso torna o sistema Bitcoin não apenas uma rede de pagamentos decentralizada, mas também uma moeda virtual. O valor da moeda não deriva do ouro ou de algum decreto governamental, mas do valor que as pessoas lhe atribuem. O valor em reais de um bitcoin é determinado em um mercado aberto, da mesma forma que são estabelecidas as taxas de câmbio entre diferentes moedas mundiais.

Como funciona

Até aqui discutimos o que é o Bitcoin: uma rede de pagamentos *peer-to-peer* e uma moeda virtual que opera, essencialmente, como o dinheiro online. Vejamos agora como é seu funcionamento.

As transações são verificadas, e o gasto duplo é prevenido, por meio de um uso inteligente da criptografia de chave pública. Tal mecanismo exige que a cada usuário sejam atribuídas duas "chaves", uma privada, que é mantida em segredo, como uma senha, e outra pública, que pode ser compartilhada com todos. Quando a Maria decide transferir bitcoins ao João, ela cria uma mensagem, chamada de "transação", que contém a chave pública do João, assinando com sua chave privada. Olhando a chave pública da Maria, qualquer um pode verificar que a transação foi de fato assinada com sua chave privada, sendo, assim, uma troca autêntica, e que João é o novo proprietário dos fundos. A transação – e portanto uma transferência

---

2 Livro-razão é nome dado pelos profissionais de contabilidade ao agrupamento dos registros contábeis de uma empresa que usa o método das partidas dobradas. Nele é possível visualizar todas as transações ocorridas em dado período de operação de uma empresa.

3 Quando nos referirmos ao sistema, à rede ou o ao projeto Bitcoin, usamos sempre inicial maiúscula. No entanto, quando fizermos referência às unidades monetárias bitcoins, utilizamos a palavra em caixa baixa.

de propriedade dos bitcoins – é registrada, carimbada com data e hora e exposta em um "bloco" do *blockchain* (o grande banco de dados, ou livro-razão da rede Bitcoin). A criptografia de chave pública garante que todos os computadores na rede tenham um registro constantemente atualizado e *verificado* de todas as transações dentro da rede Bitcoin, o que impede o gasto duplo e qualquer tipo de fraude.

Mas o que significa dizermos que "a rede" verifica as transações e as reconcilia com o registro público? E como exatamente são criados e introduzidos novos bitcoins na oferta monetária? Como vimos, porque o Bitcoin é uma rede *peer-to-peer*, não há uma autoridade central encarregada nem de criar unidades monetárias nem de verificar as transações. Essa rede depende dos usuários que proveem a força computacional para realizar os registros e as reconciliações das transações. Esses usuários são chamados de "mineradores"[4], porque são recompensados pelo seu trabalho com bitcoins recém-criados. Bitcoins são criados, ou "minerados", à medida que milhares de computadores dispersos resolvem problemas matemáticos complexos que verificam as transações no *blockchain*. Como um analista afirmou,

> A real mineração de bitcoins é puramente um processo matemático. Uma analogia útil é a procura de números primos: costumava ser relativamente fácil achar os menores (Erastóstenes, na Grécia Antiga, produziu o primeiro algoritmo para encontrá-los). Mas à medida que eles eram encontrados, ficava mais difícil encontrar os maiores. Hoje em dia, pesquisadores usam computadores avançados de alto desempenho para encontrá-los, e suas façanhas são observadas pela comunidade da matemática (por exemplo, a Universidade do Tennessee mantém uma lista dos 5.000 maiores).
>
> No caso do Bitcoin, a busca não é, na verdade, por números primos, mas por encontrar a sequência de dados (chamada de "bloco") que produz certo padrão quando o algoritmo "*hash*" do Bitcoin é aplicado aos dados. Quando uma combinação ocorre, o minerador obtém um prêmio de bitcoins (e também uma taxa de serviço, em bitcoins, no caso de o mesmo bloco ter sido usado para verificar uma transação). O tamanho do prêmio é reduzido ao passo que bitcoins são minerados.

---

4 Mineradores tendem a ser entusiastas da computação comuns, mas à medida que a mineração se torne mais difícil e cara, a atividade será, provavelmente, profissionalizada. Para maiores informações, ver LIU, Alec. A Guide to Bitcoin Mining. Motherboard, 2013. Disponível em: <http://motherboard.vice.com/blog/a-guide-to-bitcoin-mining-why-someone-bought-a-1500-bitcoin-miner-on-ebay-for-20600>. Acesso em: 10 dez. 2013.

> A dificuldade da busca também aumenta, fazendo com que seja computacionalmente mais difícil encontrar uma combinação. Esses dois efeitos combinados acabam por reduzir ao longo do tempo a taxa com que bitcoins são produzidos, imitando a taxa de produção de uma commodity como o ouro. Em um momento futuro, novos bitcoins não serão produzidos, e o único incentivo aos mineradores serão as taxas de serviços pela verificação de transações[5].

O protocolo, portanto, foi projetado de tal forma que cada minerador contribui com a força de processamento de seu computador visando à sustentação da infraestrutura necessária para manter e autenticar a rede da moeda digital. Mineradores são premiados com bitcoins recém-criados por contribuir com força de processamento para manter a rede e por verificar as transações no *blockchain*. E à medida que mais capacidade computacional é dedicada à mineração, o protocolo incrementa a dificuldade do problema matemático, assegurando que bitcoins sejam sempre minerados a uma taxa previsível e limitada.

Esse processo de mineração de bitcoins não continuará indefinidamente. O Bitcoin foi projetado de modo a reproduzir a extração de ouro ou outro metal precioso da Terra – somente um número limitado e previamente conhecido de bitcoins poderá ser minerado. A quantidade arbitrária escolhida como limite foi de 21 milhões de bitcoins. Estima-se que os mineradores colherão o último "satoshi", ou 0,00000001 de um bitcoin, no ano de 2140. Se a potência de mineração total escalar a um nível bastante elevado, a dificuldade de minerar bitcoins aumentará tanto que encontrar o último "satoshi" será uma empreitada digital consideravelmente desafiadora. Uma vez que o último "satoshi" tenha sido minerado, os mineradores que direcionarem sua potência de processamento ao ato de verificação das transações serão recompensados com taxas de serviço, em vez de novos bitcoins minerados. Isso garante que os mineradores ainda tenham um incentivo de manter a rede operando após a extração do último bitcoin.

O uso de pseudônimo

Muita atenção midiática é dada ao suposto anonimato que a moeda digital permite aos seus usuários. Essa ideia, no entanto, deriva de um errôneo entendimento do Bitcoin. Porque as transações online até hoje necessitaram de

---

5 TINDELL, Ken. Geeks Love the Bitcoin Phenomenon Like They Loved the Internet in 1995. Business Insider, 5 abr. 2013. Disponível em: <http://www.businessinsider.com/how-bitcoins-are-mined-and-used-2013-4>. Acesso em: 10 dez. 2013.

um terceiro intermediário, elas não foram anônimas. O PayPal, por exemplo, tem um registro de todas as vezes em que a Maria enviou dinheiro ao João. E porque as contas no PayPal da Maria e do João são amarradas a suas contas bancárias, suas identidades são provavelmente sabidas. Em contraste, se a Maria entrega ao João 100 reais em dinheiro, não há intermediário nem registro da transação. E se a Maria e o João não conhecem um ao outro, podemos dizer que a transação é completamente anônima.

O Bitcoin encaixa-se em algum ponto entre esses dois extremos. Por um lado, bitcoins são como dinheiro vivo, no sentido de que, quando a Maria envia bitcoins ao João, ela não mais os possui, e ele sim, e não há nenhum terceiro intermediário entre eles que conhece suas respectivas identidades. Por outro lado, e diferentemente do dinheiro vivo, o fato de que a transação ocorreu entre duas chaves públicas, em tal dia e hora, com certa quantidade, além de outras informações, é registrado no *blockchain*. Em realidade, qualquer e toda transação já efetuada na história da economia Bitcoin pode ser vista no *blockchain*.

Enquanto as chaves públicas de todas as transações – também conhecidas como "endereços Bitcoin"[6] – são registradas no *blockchain*, tais chaves não são vinculadas à identidade de ninguém. Porém, se a identidade de uma pessoa estivesse associada a uma chave pública, poderíamos vasculhar as transações no *blockchain* e facilmente ver todas as transações associadas a essa chave. Dessa forma, ainda que Bitcoin seja bastante semelhante ao dinheiro vivo, em que as partes podem transacionar sem revelar suas identidades a um terceiro ou entre si, é também distinto do dinheiro vivo, pois todas as transações de e para um endereço Bitcoin qualquer podem ser rastreadas. Nesse sentido, Bitcoin não garante o anonimato, mas permite o uso de pseudônimo.

Vincular uma identidade do mundo real a um endereço Bitcoin não é tão difícil quanto se possa imaginar. Para começar, a identidade de uma pessoa (ou pelo menos informação de identificação, como um endereço IP) é frequentemente registrada quando alguém realiza uma transação de Bitcoin em uma página web ou troca dólares por bitcoins em uma casa de câmbio de bitcoins. Para aumentar as chances de manter o pseudônimo, seria necessário empregar softwares de anonimato como Tor, e ter o cuidado de nunca transacionar com um endereço Bitcoin no qual poderia ser rastreada a identidade do usuário.

---

6 Bitcoin wiki "Address". Disponível em: <https://en.bitcoin.it/wiki /Address>. Acesso em: 30 mar. 2013.

Por fim, é também possível colher identidades simplesmente olhando o *blockchain*. Um estudo descobriu que técnicas de agrupamento baseadas em comportamento poderiam revelar as identidades de 40% dos usuários de Bitcoin em um experimento simulado. Uma pesquisa mais antiga das propriedades estatísticas do gráfico de transações de Bitcoin mostrou como uma análise passiva da rede com as ferramentas apropriadas pode revelar a atividade financeira e as identidades de usuários de Bitcoin.

Já uma análise recente das propriedades estatísticas do gráfico de transações de bitcoins colheu resultados similares ao de um banco de dados mais abrangente. Uma outra análise do gráfico de transações de bitcoins reiterou que observadores usando "fusão de entidade"[7] podem notar padrões estruturais no comportamento do usuário, enfatizando que esse "é um dos desafios mais importantes ao anonimato do Bitcoin".[8] Apesar disso, usuários de Bitcoin desfrutam de um nível muito maior de privacidade do que usuários de serviços tradicionais de transferência digital, os quais precisam fornecer informação pessoal detalhada a terceiros intermediários que facilitam a troca financeira.

Ainda que Bitcoin seja frequentemente referido como uma moeda "anônima", em realidade, é bastante difícil permanecer anônimo na rede Bitcoin. Pseudônimos ligados a transações protocoladas no registro público podem ser identificados anos após a realização de uma troca. Uma vez que intermediários de Bitcoin[9] estejam completamente em dia com as regulações requeridas a intermediários financeiros tradicionais, o anonimato será ainda menos garantido, porque dos intermediários de Bitcoin será exigido coletar dados pessoais de seus clientes.

---

7 Fusão de entidade é o processo de observar duas ou mais chaves públicas usadas como um input a uma transação ao mesmo tempo. Assim, mesmo que um usuário tenha diversas chaves públicas distintas, um observador pode gradualmente vinculá-las e remover o ostensivo anonimato esperado de múltiplas chaves públicas

8 OBER, KATZENBEISSER e HAMACHER. Structure and Anonymity of the Bitcoin Transaction Graph. Future Internet 5, no. 2, 2013. Disponível em: <http://www.mdpi.com/1999-5903/5/2/237>. Acesso em: 10 dez. 2013.

9 Como exemplos de intermediários de Bitcoin, temos as casas de câmbio que facilitam a compra e venda entre moeda fiduciária e bitcoins. No Brasil, tais casas já solicitam uma quantidade de informações pessoais que pode desagradar a muitos usuários.

2. Benefícios do Bitcoin

A primeira pergunta que muitas pessoas fazem quando aprendem sobre Bitcoin é: por que eu usaria bitcoins quando posso usar reais (ou dólares)? Bitcoin ainda é uma moeda nova e flutuante que não é aceita por muitos comerciantes, tornando seus usos quase experimentais. Para entender melhor o Bitcoin, ajuda se pensarmos que ele não é necessariamente um substituto às moedas tradicionais, mas sim um novo sistema de pagamentos.

Menores custos de transação

Porque não há um terceiro intermediário, as transações de Bitcoin são substancialmente mais baratas e rápidas do que as feitas por redes de pagamentos tradicionais. E porque as transações são mais baratas, o Bitcoin faz com que micropagamentos e suas inovações sejam possíveis. Adicionalmente, o Bitcoin é uma grande promessa de uma forma de reduzir os custos de transação aos pequenos comerciantes e remessas de dinheiro globais, aliviar a pobreza global pelo facilitado acesso ao capital, proteger indivíduos contra controles de capitais e censura, garantir privacidade financeira a grupos oprimidos e estimular a inovação (dentro e acima do protocolo Bitcoin). Por outro lado, a natureza descentralizada do Bitcoin também apresenta oportunidades ao crime. O desafio, então, é desenvolver processos que reduzam as oportunidades para criminalidade enquanto mantêm-se os benefícios que Bitcoin oferece.

Em primeiro lugar, Bitcoin é atrativo a pequenas empresas de margens apertadas que procuram formas de reduzir seus custos de transação na condução de seus negócios. Cartões de crédito expandiram de forma considerável a facilidade de transacionar, mas seu uso vem acompanhado de pesados custos aos comerciantes. Negócios que desejam oferecer aos seus clientes a opção de pagamento com cartões de crédito precisam, primeiro, contratar uma conta com as empresas de cartões. Dependendo dos termos de acordo com cada empresa, os comerciantes têm de pagar uma variedade de taxas de autorização, taxas de transação, taxas de extrato, etc. Essas taxas rapidamente se acumulam e aumentam significativamente o custo dos negócios. Entretanto, se um comerciante rejeita aceitar pagamentos com cartões de crédito, pode perder um número considerável de suas vendas a clientes que preferem o uso de tal comodidade.

Como Bitcoin facilita transações diretas sem um terceiro, ele remove cobranças custosas que acompanham as transações com cartões de crédito. O Founders Fund, um fundo de *venture capital* encabeçado por Peter Thiel, do PayPal e Facebook, recentemente investiu 3 milhões de dólares na companhia de processamento de pagamentos BitPay, por causa da habilidade do serviço em reduzir os custos no comércio online internacional. De fato, pequenos negócios já começaram a aceitar bitcoins como uma forma de evitar os custos de operar com empresas de cartões de crédito. Outros adotaram a moeda pela sua velocidade e eficiência em facilitar as transações. O Bitcoin provavelmente continuará a reduzir os custos de transações das empresas que o aceitam à medida que mais e mais pessoas o adotem.

Aceitar pagamentos com cartões de crédito também sujeita as empresas ao risco de fraude de estorno de pagamentos (*charge-back fraud*). Há muito que comerciantes têm sido infestados por estornos fraudulentos, ou reversões de pagamentos iniciadas por clientes, baseados no falso pretexto de que o produto não foi entregue[10]. Comerciantes, portanto, podem perder o pagamento pelo item vendido, além do próprio item, e ainda terão de pagar uma taxa pelo estorno. Como um sistema de pagamentos não reversível, o Bitcoin elimina a "fraude amigável" acarretada pelo mau uso de estornos de consumidores. Aos pequenos negócios, isso pode ser fundamental.

Consumidores gostam dos estornos, no entanto, porque o sistema os protege de erros de comerciantes, inescrupulosos ou não. Consumidores podem também gozar dos outros benefícios que os cartões de crédito oferecem. E muitos consumidores e comerciantes provavelmente preferiram ater-se aos serviços tradicionais de cartões de crédito, mesmo com a disponibilidade dos pagamentos pela rede Bitcoin. Ainda assim, a ampliação do leque de escolhas de opções de pagamento beneficiaria a todos os gostos.

Aqueles que querem a proteção e as regalias do uso do cartão de crédito podem continuar a operar assim, mesmo que isso signifique pagar um pouco mais. Aqueles mais sensíveis ao preço ou à privacidade podem usar bitcoins. Não ter de pagar taxas às companhias de cartões de crédito significa que os comerciantes podem repassar as economias aos preços finais ao consumidor. Exatamente nesse modelo de negócios trabalha a loja Bitcoin Store, que vende milhares de eletrônicos com grandes descontos, aceitando como pagamento somente bitcoins[11].

---

10 MALTBY, Emily. Chargebacks Create Business Headaches. Wall Street Journal, 10 fev. 2011. Disponível em: <http://online.wsj.com/article/SB10001424052748704698004576104554234202010.html>. Acesso em: 10 dez. 2013.

11 O mesmo Samsung Galaxy Note que vende-se por US$ 779 na Amazon mais postagem é vendido na Bitcoin Store por meros US$ 480,25. Dessa forma, Bitcoin oferece mais opções de baixo custo a consumidores e pequenas empresas sem remover a opção de uso de cartão de crédito daqueles que

Como um acessível sistema de transferência de fundos, Bitcoin também é uma grande promessa ao futuro das remessas de dinheiro de baixo custo. Em 2012, imigrantes de países desenvolvidos enviaram pelo menos 401 bilhões de dólares em remessas ao seus parentes vivendo em países em desenvolvimento[12]. Estima-se que a quantidade de remessas aumente para 515 bilhões de dólares por volta de 2015[13]. A maior parte dessas remessas é enviada usando serviços tradicionais como Western Union ou a MoneyGram, que cobram pesadas taxas, além de demorar diversos dias úteis para concluir a transferência dos fundos. No primeiro trimestre de 2013, a taxa média pelo serviço girou em torno de 9%[14]. Em contraste, as taxas de transações na rede Bitcoin tendem a ser menos de 0,0005 BTC[15], ou 1% da transação. Essa oportunidade empreendedora de melhorar as transferências de dinheiro tem atraído grandes nomes do universo de investidores de *venture capital*. Até mesmo a MoneyGram e a Western Union estão analisando se integram o Bitcoin ao seu modelo de negócios. O Bitcoin permite remessas baratas e instantâneas, e a redução de custo dessas remessas aos consumidores pode ser considerável.

Potencial arma contra a pobreza e a opressão

Bitcoin também tem o potencial de melhorar a qualidade de vida dos mais pobres no mundo. Aumentar o acesso a serviços financeiros básicos é uma técnica antipobreza promissora[16]. De acordo com estimativas, 64% das pessoas vivendo em países em desenvolvimento têm parco acesso a esses serviços, talvez porque seja bastante custoso a instituições financeiras tradicionais servir às áreas pobres e rurais[17].

---

o preferem. BUTERIN, Vitalik. Bitcoin Store Opens: All Your Electronics Cheaper with Bitcoins. Bitcoin Magazine, 5 nov. 2012. Disponível em: <http://bitcoinmagazine.com/bitcoin-store-opens--all-your-electronics-cheaper-with-bitcoins/>. Acesso em: 10 dez. 2013.

12 World Bank Payment Systems Development Group, Remittance Prices Worldwide: An Analysis of Trends in the Average Total Cost of Migrant Remittance Services, Washington, DC, World Bank, 2013. Disponível em: <http://remittanceprices.worldbank.org/~/media/FPDKM/Remittances/Documents/RemittancePriceWorldwide-Analysis-Mar2013.pdf>. Acesso em: 11 dez. 2013.

13 Ibid.

14 Ibid.

15 Bitcoin wiki "Transaction fees". Disponível em: <https://en.bitcoin.it/wiki/Transaction_fees>. Acesso em: 11 dez. 2013. PAUL, Andrew. Is Bitcoin the Next Generation of Online Payments? Yahoo! Small Business Advisor, 24 mai. 2013. Disponível em: <http://smallbusiness.yahoo.com/advisor/bitcoin-next-generation-online-payments-213922448--finance.html>. Acesso em: 11 dez. 2013.

16 YUNUS, Muhammad. Banker to the Poor: Micro-lending and the Battle against World Poverty. New York: Public Affairs, 2003.

17 PINAR ARDIC, HEIMANN e MYLENKO. Access to Financial Services and the Financial Inclusion Agenda around the World. Policy Research Working Paper, World Bank Financial and Private Sector Development Consultative Group to Assist the Poor, 2011. Disponível em: <https://openknowledge.worldbank.org/bitstream/handle/10986/3310/WPS5537.pdf>. Acesso em: 12 dez. 2013.

Por causa dos empecilhos ao desenvolvimento de serviços bancários tradicionais em áreas pobres, pessoas em países em desenvolvimento têm recorrido aos serviços bancários via rede de telefonia móvel para fazer frente às necessidades financeiras. O sistema fechado de pagamentos por celular M-Pesa tem sido particularmente exitoso em países como Quênia, Tanzânia e Afeganistão[18]. Empreendedores já estão se movendo rumo a esse modelo; o serviço de carteira de Bitcoin Kipochi recentemente desenvolveu um produto que permite a usuários do M-Pesa trocar bitcoins[19]. Serviços bancários por celular em países em desenvolvimento podem ser ampliados pela adoção do Bitcoin. Como um sistema aberto de pagamentos, o Bitcoin pode fornecer às pessoas nesses locais acesso barato a serviços financeiros, em uma escala global.

O Bitcoin pode também propiciar alívio às pessoas vivendo em nações com controles de capitais bastante estritos. O número total de bitcoins que podem ser minerados é limitado e não pode ser manipulado. Não há autoridade central que possa reverter transações e impedir a troca de bitcoins entre países. O Bitcoin, dessa forma, proporciona uma válvula de escape para pessoas que almejam uma alternativa à moeda depreciada de seu país ou a mercados de capitais estrangulados. Já há casos de pessoas recorrendo ao Bitcoin para evadir-se dos efeitos danosos dos controles de capitais e da má gestão de bancos centrais. Alguns argentinos, por exemplo, adotaram o Bitcoin em resposta ao duplo fardo do país, taxas de inflação de mais de 25% ao ano e rigorosos controles de capitais[20]. A demanda por bitcoins é tão grande na Argentina que uma popular casa de câmbio está planejando abrir um escritório no país[21]. O uso de bitcoins naquele país continua crescendo em face da péssima ingerência estatal no âmbito monetário.

Indivíduos em situações de opressão ou emergência também podem beneficiar-se da privacidade financeira que o Bitcoin proporciona. Há muitas razões legítimas pelas quais pessoas buscam privacidade em suas transações financeiras. Esposas fugindo de parceiros abusivos precisam de alguma forma de discretamente gastar seu dinheiro sem ser rastreadas. Pessoas procurando serviços de saúde controversos desejam privacidade

---

18 FONG, Jeff. How Bitcoin Could Help the World's Poorest People. PolicyMic, mai. 2013. Disponível em: <http://www.policymic.com/articles/41561/bitcoin-price-2013-how-bitcoin-could-help-the-world-s-poorest-people>. Acesso em: 12 dez. 2013.

19 SPAVEN, Emily. Kipochi launches M-Pesa Integrated Bitcoin Wallet in Africa. CoinDesk, 19 jul. 2013. Disponível em: <http://www.coindesk.com/kipochi-launches-m-pesa-integrated-bitcoin-wallet-in-africa/>. Acesso em 12 dez. 2013.

20 MATONIS, Jon. Bitcoin's Promise in Argentina. Forbes, 27 abr. 2013. Disponível em: <http://www.forbes.com/sites/jonmatonis/2013/04/27/bitcoins-promise-in-argentina/>. Acesso em: 12 dez. 2013.

21 RUSSO, Camila. Bitcoin Dreams Endure to Savers Crushed by CPI: Argentina Credit. Bloomberg, 16 abr. 2013. Disponível em: <http://www.bloomberg.com/news/2013-04-16/bitcoin-dreams-endure-to-savers-crushed-by-cpi-argentina-credit.html>. Acesso em: 12 dez. 2013.

de familiares, empregadores e outros que podem julgar suas decisões. Experiências recentes com governos despóticos sugerem que cidadãos oprimidos se beneficiaram altamente da possibilidade de realizar transações privadas, livres das garras de tiranos. O Bitcoin oferece algo de privacidade como a que tem sido tradicionalmente permitida pelo uso de dinheiro vivo – com a conveniência adicional de transferência digital.

Estímulo à inovação financeira

Uma das aplicações mais promissoras do Bitcoin é como uma plataforma à inovação financeira. O protocolo do Bitcoin contém o modelo de referência digital para uma quantidade de serviços financeiros e legais úteis que programadores podem desenvolver facilmente. Como bitcoins são, no seu cerne, simplesmente pacotes de dados, eles podem ser usados para transferir não somente moedas, mas também ações de empresas, apostas e informações delicadas[22]. Alguns dos atributos que estão embutidos no protocolo do Bitcoin incluem micropagamentos, mediações de litígios, contratos de garantia e propriedade inteligente[23]. Esses atributos permitiriam o fácil desenvolvimento de serviços de tradução via internet, processamento instantâneo de transações pequenas (como medição automática de acesso Wi-Fi) e serviços de *crowdfunding*[24].

Adicionalmente, programadores podem desenvolver protocolos alternativos em cima do protocolo do Bitcoin da mesma forma que a *web* e o correio eletrônico operam no protocolo da internet TCP/IP. Um programador já propôs uma nova camada de protocolo para agregar ao protocolo do Bitcoin e assim aperfeiçoar a estabilidade e segurança da rede[25]. Ou-

---

22 BRITO, Jerry. The Top 3 Things I Learned at the Bitcoin Conference. Reason, 20 mai. 2013. Disponível em: <http://reason.com/archives/2013/05/20/the-top-3-things-i-learned-at--the-bitcoi>. Acesso em: 12 dez. 2013.

23 HEARN, Mike. Bitcoin 2012 London: Mike Hearn. YouTube video, 28:19, publicado por "QueuePolitely," 27 set. 2012. Disponível em: <http://www.youtube.com/watch?v=mD4L7xDNCmA>. Acesso em: 13 dez. 2013. Propriedade inteligente (*smart property*) é um conceito para controlar propriedade de um item por meio de acordos feitos no *blockchain* do Bitcoin. A propriedade inteligente permite que as pessoas intercambiem propriedade de um produto ou serviço uma vez que uma condição é atingida usando a criptografia. Embora a propriedade inteligente seja ainda teórica, os mecanismos básicos já estão incorporados ao protocolo do Bitcoin. Ver Bitcoin wiki "Smart Property". Disponível em https://en.bitcoin.it/wiki/Smart_Property. Acesso em: 13 dez. 2013.

24 O financiamento coletivo (*crowdfunding*) consiste na obtenção de capital para iniciativas de interesse coletivo por meio da agregação de múltiplas fontes de financiamento, em geral, pessoas físicas interessadas na iniciativa. O termo é muitas vezes usado para descrever especificamente ações na internet com o objetivo de arrecadar dinheiro para artistas, jornalismo cidadão, pequenos negócios e startups, campanhas políticas, iniciativas de software livre, filantropia e ajuda a regiões atingidas por desastres, entre outras.

25 WILLETT, J. R. The Second Bitcoin Whitepaper, white paper, 2013. Disponível em: <https://

tro criou um serviço de tabelião digital para armazenar anonimamente e com segurança uma "prova de existência" para documentos privados, em cima do protocolo do Bitcoin[26]. Outros, ainda, adotaram o modelo Bitcoin como forma de cifrar comunicações de correio eletrônico[27]. Um grupo de desenvolvedores esboçou um protocolo aditivo que melhorará a privacidade da rede[28]. O Bitcoin é, portanto, a fundação sobre a qual outras camadas de funcionalidade podem ser construídas. O projeto Bitcoin pode ser mais bem imaginado como um processo de experimentação financeira e comunicativa. Os elaboradores de políticas públicas devem ter cuidado para que suas diretivas não suprimam as inovações promissoras em desenvolvimento dentro e sobre o novato protocolo.

3. Desafios do Bitcoin

Apesar dos benefícios que ele apresenta, o Bitcoin tem algumas desvantagens que usuários em potencial devem levar em consideração. Houve significativa volatilidade no preço ao longo de sua existência. Novos usuários correm o risco de não proteger devidamente suas carteiras ou de, até mesmo, acidentalmente apagar seus bitcoins, caso não sejam cautelosos. Além disso, há preocupações sobre se *hackers* podem de alguma forma comprometer a economia Bitcoin.

Volatilidade

O Bitcoin foi exposto a pelo menos cinco ajustes de preço significativos desde 2011[29]. Esses ajustes se assemelham a bolhas especulativas tradicionais: coberturas da imprensa otimistas em demasia provocam ondas de investidores novatos a pressionar para cima o preço do bitcoin[30]. A exube-

---

sites.google.com/site/2ndbtcwpaper/2ndBitcoinWhitepaper.pdf>. Acesso em: 13 dez. 2013.

26 KIRK, Jeremy. Could the Bitcoin Network Be Used as an Ultrasecure NotaryService? ComputerWorld, 23 mai. 2013. Disponível em: <http://www.computerworld.com/s/article/9239513/Could_the_Bitcoin_network_be_used_as_an_ultrasecure_notary_service_>. Acesso em: 13 dez. 2013.

27 WARREN, Jonathan. Bitmessage: A Peer-to-Peer Message Authentication and Delivery System, white paper, 27 nov. 2012. Disponível em: <https://bitmessage.org/bitmessage.pdf>. Acesso em: 13 dez. 2013.

28 MIERS, Ian et al. Zerocoin: Anonymous Distributed E-Cash from Bitcoin, working paper, the Johns Hopkins University Department of Computer Science, Baltimore, MD, 2013. Disponível em: <http://spar.isi.jhu.edu/~mgreen/ZerocoinOakland.pdf>. Acesso em: 13 dez. 2013.

29 LEE, Timothy B. An Illustrated History of Bitcoin Crashes, Forbes, 11 abr. 2013. Disponível em: <http://www.forbes.com/sites/timothylee/2013/04/11/an-illustrated-history-of-bitcoin-crashes/>. Acesso em: 13 dez. 2013.

30 SALMON, Felix. The Bitcoin Bubble and the Future of Currency, Medium, 3 abr. 2013. Dispo-

rância, então, atinge um ponto de inflexão, e o preço finalmente despenca. Novos entrantes ávidos por participar correm o risco de sobrevalorizar a moeda e perder dinheiro em uma queda abrupta. O valor flutuante do bitcoin faz com que muitos observadores permaneçam céticos quanto ao futuro da moeda.

Será que essa volatilidade prediz o fim do Bitcoin? Alguns analistas acham que sim[31]. Outros sugerem que essas flutuações acabam por realizar testes de estresse à moeda e podem, por fim, diminuir em frequência à medida que mecanismos para contrabalancear a volatilidade se desenvolvem[32]. Se bitcoins são usados apenas como reserva de valor ou unidade de conta, a volatilidade poderia de fato ameaçar seu futuro. Não faz sentido gerir as finanças de um negócio ou guardar as economias em bitcoins se o preço de mercado oscila desenfreada e imprevisivelmente. Quando o Bitcoin é empregado como meio de troca, entretanto, a volatilidade não é tanto um problema. Comerciantes podem precificar seus produtos em termos de moeda tradicional e aceitar o equivalente em bitcoins. Clientes que adquirem bitcoins para realizar uma só compra não se importam com o câmbio amanhã; eles somente se preocupam com que o Bitcoin reduza custos de transações no presente. A utilidade do Bitcoin como meio de troca poderia explicar por que a moeda tem se tornado popular entre comerciantes, a despeito da volatilidade de seu preço[33]. É possível que o valor de bitcoins venha a apresentar uma menor volatilidade ao passo que mais pessoas se familiarizam com sua tecnologia e desenvolvam expectativas realistas acerca de seu futuro.

nível em: <https://medium.com/money-banking/2b5ef79482cb>. Acesso em: 13 dez. 2013.

31 FARRELL, Maureen. Strategist Predicts End of Bitcoin, CNNMoney, 14 mai. 2013. Disponível em: <http://money.cnn.com/2013/05/14/investing/bremmer-bitcoin/index.html>. Acesso em: 13 dez. 2013.

32 GURRI, Adam. Bitcoins, Free Banking, and the Optional Clause, Ümlaut, 6 mai. 2013. Disponível em: <http://theumlaut.com/2013/05/06/bitcoins-free-banking-and-the-optional-clause/>. Acesso em: 13 dez. 2013.

33 Hoje serviços como esse aceitam o risco inerente à volatilidade e ainda assim mantêm baixas taxas. Se esse modelo será sustentável no longo prazo, é algo inconclusivo.

Violação de segurança

Como uma moeda digital, o Bitcoin apresenta alguns desafios de segurança específicos[34]. Se as pessoas não são cuidadosas, elas podem inadvertidamente apagar ou perder seus bitcoins. Uma vez que o arquivo digital esteja perdido, o dinheiro está perdido, da mesma forma com dinheiro vivo de papel. Se as pessoas não protegem seus endereços Bitcoin, elas podem estar mais sujeitas ao roubo. As carteiras de Bitcoin agora podem ser protegidas por criptografia, mas os usuários devem selecionar a ativação da criptografia. Se um usuário não cifra a sua carteira, os bitcoins podem ser roubados por *malware*[35]. As casas de câmbio de Bitcoin também enfrentaram complicações de segurança; *hackers* furtaram 24 mil BTC (então valorados em 250 mil dólares) de um casa de câmbio chamada Bitfloor em 2012[36], e houve em uma série de ataques DDoS (*distributed denial-of-service*) contra a mais popular casa de câmbio, Mt.Gox, em 2013[37]. (A Bitfloor finalmente repagou os fundos roubados aos clientes, e a Mt.Gox recuperou-se de tais ataques). Obviamente, muitos dos riscos de segurança enfrentados pelo Bitcoin são similares àqueles com os quais moedas tradicionais também se defrontam. Notas de reais podem ser destruídas ou perdidas, informação financeira pessoal pode ser roubada e usada por criminosos e bancos podem ser assaltados ou alvos de ataques DDoS. Os usuários de Bitcoin deveriam aprender sobre e como preparar-se contra riscos de segurança, da mesma forma que o fazem com outras atividades financeiras.

Uso para fins criminosos

Também há razões para os políticos ficarem apreensivos quanto a algumas das aplicações não intencionadas do Bitcoin. Porque o Bitcoin permite o uso de pseudônimos, políticos e jornalistas têm questionado se crimi-

34 A maioria dos desafios de segurança está relacionada aos serviços de carteiras e às casas de câmbio. O protocolo em si tem-se provado consideravelmente resiliente a hackers e riscos de segurança. O renomeado pesquisador de segurança Dan Kaminsky tentou, mas fracassou, hackear o protocolo Bitcoin em 2011. KAMINSKY, Dan. I Tried Hacking Bitcoin and I Failed, Business Insider, 12 abr. 2013. Disponível em: <http://www.businessinsider.com/dan-kaminsky-highlights-flaws-bitcoin-2013-4>. Acesso em: 13 dez. 2013.

35 O termo *malware* é proveniente do inglês *malicious software*; é um software destinado a se infiltrar em um sistema de computador alheio de forma ilícita, com o intuito de causar algum dano, alterações ou roubo de informações (confidenciais ou não).

36 COLDEWEY, Devin. $250,000 Worth of Bitcoins Stolen in Net Heist, NBC News, 5 set. 2012. Disponível em: <http://www.nbcnews.com/technology/250-000-worth-bitcoins-stolen-net-heist-980871>. Acesso em: 14 dez.2013.

37 KELLY, Meghan. Fool Me Once: Bitcoin Exchange Mt.Gox Falls after Third DDoS Attack This Month, VentureBeat, 21 abr. 2013. Disponível em: <http://venturebeat.com/2013/04/21/mt-gox-ddos/>. Acesso em 14 dez. 2013.

nosos podem usá-lo para lavagem de dinheiro ou para aceitar pagamentos da venda de produtos e serviços ilícitos. De fato, e como o dinheiro vivo, ele pode ser usado tanto para o bem quanto para o mal. Um exemplo notório é o caso do site de mercado negro em *deep web*[38] conhecido como Silk Road[39]. Esse site se aproveitava da rede para anonimato Tor e da natureza de se usar pseudônimo no Bitcoin para disponibilizar um vasto mercado digital em que se podia encomendar drogas por correio, além de outros produtos lícitos e ilícitos. Ainda que os administradores do Silk Road não permitissem a troca de nenhum produto que resultasse de fraude ou dano, como cartões de crédito roubados ou fotos de exploração de menores, era permitido aos comerciantes vender produtos ilegais, como documentos de identidade falsos e drogas ilícitas. O fato de se usar pseudônimo no Bitcoin permitia que compradores adquirissem produtos ilegais online, da mesma forma que o dinheiro tem sido tradicionalmente usado para facilitar compras ilícitas pessoalmente. Um estudo estimou que o total de transações mensais no Silk Road alcance aproximadamente 1,2 milhão de dólares[40]. Mas o mercado de Bitcoin acumulou 770 milhões de dólares em transações durante junho de 2013; vendas no Silk Road, portanto, constituíam uma quase insignificante parcela do total da economia Bitcoin[41].

A associação do Silk Road com o Bitcoin manchou sua reputação. Na sequência da publicação de um artigo sobre o Silk Road em 2011, os senadores norte-americanos Charles Schumer e Joe Manchin enviaram uma carta ao promotor-geral Eric Holder e ao administrador do *Drug Enforcement Administration*, Michele Leonhart, pedindo por uma caçada ao Silk Road, ao software de anonimato Tor e ao Bitcoin[42].

---

38 Wikipedia “Deep Web”. Disponível em http://en.wikipedia.org/wiki/Deep_Web. Acesso em: 30 jul. 2013.

39 O site Silk Road foi fechado pelas autoridades americanas no final de 2013, mas a associação do Bitcoin ao uso para fins criminosos é algo recorrente. Isso nos remete a um ponto fundamental: o Bitcoin é uma tecnologia e, portanto, não é boa nem má. É neutra. O crime está na ação do infrator, jamais na tecnologia empregada para tal. O Bitcoin, ou qualquer outra forma de dinheiro, pode ser usado para o bem ou para o mal. Além disso, a compra e venda de drogas, dependendo do país, já é algo normal e perfeitamente lícito. Isso quer dizer que a proibição das drogas é uma questão política que independe por completo do Bitcoin. Ademais, a experiência sugere que a guerra às drogas é muito mais nefasta do que qualquer consequência derivada de seu uso por cidadãos honestos.

40 CHRISTIN, Nicolas. Traveling the Silk Road: A Measurement Analysis of a Large Anonymous Online Marketplace, Carnegie Mellon CyLab Technical Reports: CMU-CyLab-12-018, 30 jul. 2012 (atualizado em 28 Nov. 2012). Disponível em: <http://www.cylab.cmu.edu/files/pdfs/tech_reports/CMUCyLab12018.pdf>. Acesso em: 14 dez. 2013.

41 BRITO, Jerry. National Review Gets Bitcoin Very Wrong, Technology Liberation Front, 20 jun. 2013. Disponível em: <http://techliberation.com/2013/06/20/national-review-gets-bitcoin-very--wrong/>. Acesso em: 14 dez. 2013.

42 WOLF, Brett. Senators Seek Crackdown on ‘Bitcoin’ Currency, Reuters, 8 jun. 2011. Disponível em: <http://www.reuters.com/article/2011/06/08/us-financial-bitcoins-idUSTRE7573T320110608>. Acesso em: 14 dez. 2013.

Outra preocupação é que o Bitcoin seja usado para a lavagem de dinheiro para o financiamento do terrorismo e tráfico de produtos ilegais. Apesar de essas inquietações serem, neste momento, mais teóricas do que empíricas, o Bitcoin poderia de fato ser uma opção àqueles que desejam mover dinheiro sujo discretamente. Preocupações com o potencial de o Bitcoin ser usado para lavagem de dinheiro foram atiçadas após o Liberty Reserve, um serviço privado e centralizado de moeda digital com sede na Costa Rica, ter sido encerrado pelas autoridades sob alegações de lavagem de dinheiro[43].

Embora o Liberty Reserve e o Bitcoin pareçam similares porque ambos oferecem moedas digitais, há diferenças importante entre os dois. O Liberty Reserve era um serviço de divisas centralizado, criado e pertencente a uma empresa privada, supostamente com o expresso propósito de facilitar a lavagem de dinheiro; o Bitcoin, não. As transações dentro da economia do Liberty Reserve não eram transparentes. O Bitcoin, por outro lado, é uma moeda descentralizada aberta que fornece um registro público de todas as transações. Lavadores de dinheiro podem tentar proteger seus endereços de Bitcoin e suas identidades, mas seus registros de transações serão sempre públicos e acessíveis a qualquer momento pelas autoridades. Lavar dinheiro por meio do Bitcoin, então, pode ser visto como uma empreitada muito mais arriscada do que usar um sistema centralizado como o Liberty Reserve. Ademais, diversas casas de câmbio de bitcoins têm tomado as medidas necessárias para estar em dia com as regulações e exigências das autoridades no que tange ao combate à lavagem de dinheiro[44]. A combinação de um sistema de registro público (o livro-razão do Bitcoin, ou o *blockchain*) com a cooperação das casas de câmbio na coleta de informações dos usuários fará do Bitcoin uma via relativamente menos atrativa aos lavadores de dinheiro.

Também é importante notar que muitas das potenciais desvantagens do Bitcoin são as mesmas enfrentadas pelo tradicional dinheiro vivo; este tem sido historicamente o veículo escolhido por traficantes e lavadores de dinheiro, mas políticos jamais seriamente considerariam banir o dinheiro vivo. À medida que os reguladores comecem a contemplar o Bitcoin, eles deveriam ser cautelosos com os perigos da regulação excessiva. No pior cenário possível, os reguladores poderiam impedir que negócios legítimos se beneficiem da rede Bitcoin sem impor nenhum empecilho ao uso do

43 Liberty Reserve Digital Money Service Forced Offline, BBC News—Technology, 27 mai. 2013. Disponível em: <http://www.bbc.co.uk/news/technology-22680297>. Acesso em: 14 dez. 2013.
44 SPARSHOTT, Jeffrey. Bitcoin Exchange Makes Apparent Move to Play by U.S. Money-Laundering Rules, Wall Street Journal, 28 jun. 2013. Disponível em: <http://online.wsj.com/article/SB10001424127887323873904578574000957464468.html>. Acesso em: 14 dez. 2013.

Bitcoin por traficantes ou lavadores de dinheiro. Se as casas de câmbio são sobrecarregadas pela regulação e encerram suas atividades, por exemplo, traficantes e afins ainda assim poderiam colocar dinheiro na rede, pagando uma pessoa com dinheiro vivo para que esta lhes transfira seus bitcoins. Nesse cenário, transações benéficas são impossibilitadas por regulação excessiva, enquanto as atividades-alvo continuam a ocorrer.

4. Regulação e legislação

As leis e regulações atuais não preveem uma tecnologia como o Bitcoin, o que resulta em algumas zonas legais cinzentas. Isso ocorre porque o Bitcoin não se encaixa em definições regulamentares existentes de moeda ou outros instrumentos financeiros ou instituições, tornando complexo saber quais leis se aplicam a ele e de que forma.

O Bitcoin tem as propriedades de um sistema eletrônico de pagamentos, uma moeda e uma commodity, entre outras. Dessa forma, estará certamente sujeito ao escrutínio de diversos reguladores. Vários países estão atualmente debatendo o Bitcoin em nível governamental. Alguns já emitiram pareceres ou pronunciamentos oficiais, estabelecendo diretrizes, orientações, etc. Uns com uma postura neutra, outros de forma mais cautelosa.

Embora não seja o foco deste livro averiguar qual o tratamento legal adequado, é oportuno afirmar que as questões legais certamente afetarão a forma como o Bitcoin se desenvolve ao redor do mundo. Em países desenvolvidos, as incertezas sobre como o Bitcoin será regulado pouco a pouco se dissolvem.

Mas em pleno ano de 2014, ainda há questões a serem endereçadas pelas autoridades. No Brasil, nada em específico concernente ao Bitcoin foi emitido pelos órgãos reguladores[45]. Por ser um mercado em franco e rápido crescimento, é de se esperar novidades no âmbito legal proximamente.

45 A exceção foi um caso, em julho de 2012, interpelado pela Comissão de Valores Mobiliários (CVM), ao impedir e multar um cidadão não registrado na autarquia de ofertar publicamente um veículo de investimento em bitcoins. Entretanto, não houve qualquer juízo de valor referente ao Bitcoin em si, apenas ao fato de que constituía uma oferta de investimento irregular em território nacional. Disponível em: <http://www.cvm.gov.br/port/infos/comunicado-deliberacao%20680.asp>.

Capítulo III

A história e o contexto do Bitcoin

É COM A ANÁLISE DO CONTEXTO em que o Bitcoin surgiu que podemos entender a sua razão de ser. Ainda que possa ser considerada uma mera coincidência o fato de a moeda digital ter surgido em meio à maior crise financeira desde a Grande Depressão de 1930, não podemos deixar de notar o avanço do estado interventor, as medidas sem precedentes e arbitrárias das autoridades monetárias na primeira década do novo milênio e a constante perda de privacidade que cidadãos comuns vêm enfrentando em grande parte dos países desenvolvidos e emergentes.

Esses fatores são certamente responsáveis por parte do ímpeto da criação do Bitcoin. E, enquanto os reais motivos de seu surgimento podem ser apenas intuídos, não há dúvidas quanto ao que possibilitou o seu desenvolvimento: a era da computação, a revolução digital.

1. A Grande Crise Econômica do século XXI e a Perda de Privacidade Financeira

A quebra do banco Lehman Brothers, em setembro de 2008 – um dos grandes marcos da atual crise econômica e a maior falência da história dos Estados Unidos –, ocorreu há pouco mais de cinco anos. E, até hoje, seguimos sentindo as repercussões dessa grande crise.

No *mainstream* da ciência econômica, muito ainda se debate sobre as reais causas da débâcle financeira. A ganância, a desregulamentação do setor financeiro, os excessos dos bancos ou, simplesmente, o capitalismo, são todos elementos apontados como os causadores da crise. Mas é justamente o setor financeiro, aquele em que a intervenção dos governos é mais presente e marcante, seja em países desenvolvidos, seja em países em desenvolvimento. Assim, e como veremos adiante, o mais correto seria apontar o socialismo aplicado ao âmbito monetário como o real culpado e não o livre mercado.

O atual arranjo monetário[46] do Ocidente baseia-se em dois grandes pilares: 1) monopólio da emissão de moeda com leis de curso legal forçado[47]; e 2) banco central, responsável por organizar e controlar o sistema bancário. Em grande parte dos países, a tarefa de emissão de moeda é delegada pelo estado ao próprio banco central. É, portanto, patente a interferência governamental no âmbito monetário. Tal arranjo é a antítese de livre mercado; considerá-lo um exemplo de capitalismo exige uma boa dose de elasticidade intelectual.

Além disso, as moedas hoje emitidas pelos governos não têm lastro algum, senão a confiança dos governos. Ao longo de centenas de anos, o arranjo monetário desenvolveu-se de tal forma que não há mais vestígios de qualquer vínculo ao ouro ou à prata, ambos metais preciosos que serviram como dinheiro por milênios. O chamado padrão-ouro hoje não passa de um fato histórico com remotas possibilidades de retornar. E não porque não funcionava, mas porque impunha restrições ao ímpeto inflacionista dos governos. Quando estes emitiam moeda em demasia, acabavam testemunhando a fuga de ouro das fronteiras nacionais, sendo obrigados a depreciar a paridade cambial com o metal precioso.

Desde 1971, quando o então presidente Richard Nixon suspendeu a conversibilidade do dólar em ouro, vivemos na era do papel-moeda fiduciário, em que bancos centrais podem imprimir quantidades quase ilimitadas de dinheiro, salvo o risco de que os cidadãos percam toda a confiança na moeda, recusando-se a usá-la em suas transações, como costuma ocorrer em episódios de hiperinflação[48].

A realidade é que recorrer à impressão de dinheiro é algo que os governos naturalmente fizeram ao longo da história para financiar seus déficits, para custear suas guerras ou para sustentar um estado perdulário incapaz de sobreviver apenas com os impostos cobrados da sociedade. O poder de imprimir dinheiro é tentador demais para não ser usado.

Mas, nos últimos cem anos, o mecanismo de impressão de dinheiro foi, de certa maneira, sofisticado. Antigamente, diluía-se o conteúdo do metal precioso de uma moeda, adicionando um metal de mais baixa qualidade. Na República de Weimar, as impressoras de papel-moeda operavam a todo o vapor 24 horas por dia. Atualmente, entretanto, o processo inflacionário é um pouco mais indireto e envolve não somente um Banco Central ou

46 Para uma breve análise do colapso da ordem monetária do Ocidente, ver ROTHBARD, Murray N. O que o governo fez com o nosso dinheiro? São Paulo: Instituto Ludwig von Mises Brasil, 2013.

47 Leis de curso legal forçado (*legal tender laws* em inglês) são leis que obrigam os cidadãos em um determinado país a aceitar o dinheiro emitido pelo estado como meio de pagamento.

48 Os brasileiros viveram alguns episódios hiperinflacionários nas décadas de 1980 e 90.

um órgão de governo imprimindo cédulas de dinheiro, mas também todo o sistema bancário.

Inflação é o aumento na quantidade de moeda em uma economia, e a eventual elevação dos preços é a consequência inevitável[49]. Mas, em uma economia moderna, a oferta de moeda não é composta apenas por cédulas e moedas de metal; os depósitos bancários também fazem parte da oferta monetária, uma vez que desempenham a mesma função que a moeda física. Ainda que não "existam" materialmente, os depósitos constituem parte da oferta monetária total. Assim, quando se emite moeda ou se criam depósitos bancários do nada, está ocorrendo inflação. E quanto maior a quantidade de dinheiro (oferta monetária) em uma economia, menor o poder de compra de cada unidade monetária. Ou, o seu corolário, mais caros se tornam os produtos e serviços.

Mas e como se multiplicam os depósitos bancários? Por meio de um mecanismo chamado reservas fracionárias. Em suma, significa que os bancos podem guardar nos seus cofres apenas uma fração do dinheiro que foi depositado e emprestar o restante ao público – daí o nome reservas fracionárias[50]. E o impacto desse arranjo no sistema financeiro é monumental, porque esse simples mecanismo concede aos bancos o poder de criar depósitos bancários por meio da expansão do crédito. E como depósitos bancários são considerados parte da massa monetária, os bancos criam moeda de fato – por isso, diz-se que os bancos são "criadores de moeda".

Além de aumentar a quantidade de moeda, a expansão do crédito pelo sistema bancário tem outro efeito nocivo na economia: a formação de ciclos econômicos[51]. Para que haja investimento, é preciso haver poupança. É o investimento que permite o acúmulo de capital, que, por sua vez, possibilita uma maior produtividade da economia. Mas sem poupança prévia não é possível investir. A expansão do crédito pelo sistema bancário sob um regime de reservas fracionárias permite que os bancos concedam empréstimos às empresas e indivíduos como se houvesse poupança disponível, quando, na verdade, isso não ocorreu. Logo, os empresários investem como se houvesse recursos

49 Infelizmente, o conhecimento convencional define inflação como o aumento de preços, quando, na verdade, isso é a consequência da inflação, e não inflação *per se*. Ver MISES, Ludwig von. A verdade sobre a inflação, Instituto Ludwig von Mises Brasil, 27 mai. 2008. Disponível em: <http://mises.org.br/Article.aspx?id=101>. Acesso em: 16 dez. 2013.

50 No Brasil, esse mecanismo se confunde com o conceito do "compulsório", o qual é determinado pelo Banco Central. Atualmente, o percentual de "compulsório" para os depósitos à vista está estabelecido em 10%. Dessa forma, com um depósito hipotético de R$ 1.000, um banco pode expandir o crédito em R$ 9.000, criando do nada R$ 9.000 de depósitos à vista, pelo simples registro contábil (débito de R$ 9.000 em empréstimos contra crédito de R$ 9.000 em depósitos à vista).

51 MISES, Ludwig von. Ação Humana: Um Tratado de Economia. São Paulo: Instituto Ludwig von Mises Brasil, 2010.

disponíveis para levar a cabo seus empreendimentos, criando um auge econômico que contém as sementes de sua própria ruína. Cedo ou tarde, alguns investimentos não poderão ser concluídos (pois simplesmente não há recursos suficientes para que sejam completados lucrativamente), devendo ser liquidados o quanto antes. Esse é o momento da recessão, quando os excessos cometidos durante o *boom* precisam ser sanados para que a estrutura produtiva da economia retome o seu rumo de forma sustentável. Normalmente, o sinal que antecede um ciclo de auge é a redução artificial dos juros pelo banco central. Por meio da manipulação da taxa de juros, o banco central injeta moeda no sistema bancário, propiciando uma maior expansão do crédito.

As crises financeiras deste início de milênio são uma ilustração perfeita da teoria explicada, chamada de Teoria Austríaca dos Ciclos Econômicos. Foi a redução artificial dos juros pelo Federal Reserve que deu início ao *boom* no setor imobiliário americano logo após o estouro da bolha da internet, em 2001 – que, por sua vez, foi também precedida por um período de expansão monetária orquestrada pelo Federal Reserve. Anos de crédito farto e barato levaram a um superaquecimento da economia americana, em especial no setor da construção civil, inflando uma bolha imobiliária[52] de proporções catastróficas. E para piorar ainda mais o cenário, os principais bancos centrais do mundo seguiam a mesma receita de juros baixos para estimular a economia, formando bolhas imobiliárias em outros países também.

Cegados pelos baixos índices de inflação ao consumidor – enquanto os preços dos ativos imobiliários e financeiros disparavam –, os banqueiros centrais acreditavam piamente terem domado os ciclos econômicos; entráramos na chamada "Era da Grande Moderação". Infelizmente, a realidade logo veio à tona, e, com ela, todas as consequências perversas de um sistema monetário e bancário sujeito a mais absoluta intervenção.

Começando em 2007 com o imbróglio das hipotecas de alto risco (os *subprimes*) e o consequente "aperto da liquidez" (o *liquidiy crunch*), o setor financeiro logo congelou, os preços dos ativos despencaram – em especial os do setor imobiliário – e os grandes bancos do mundo ocidental viram-se praticamente insolventes.

No ano seguinte, a crise seria intensificada. Bancos e fundos de investimento buscavam desesperadamente sacar seus depósitos de instituições problemáticas. Era a versão moderna da velha corrida bancária. A interconectividade, a interdependência, a exposição mútua e os riscos de contraparte (o "*counterparty risk*") eram de tal magnitude e complexa mensuração

52 Não foram as únicas razões, mas foi condição *sine qua non* à atividade econômica insustentável. Para mais detalhes, ver WOODS Jr., Thomas E. Meltdown. Washington: Regnery Publishing, 2009.

que o sistema financeiro estava simplesmente à beira do colapso. Depois de seguidos resgates de bancos em dificuldades, fusões forçadas pelo Federal Reserve, acordos de "troca de liquidez" entre os principais bancos centrais do mundo ("*liquidity swap*"), legislações apressadas e desesperadas, o impensável ocorria: no dia 15 de setembro de 2008, um banco considerado "grande demais para quebrar" viria a falir. O Lehman Brothers entrava para a história como a maior falência dos Estados Unidos até então.

A queda do Lehman foi certamente um ponto de inflexão na crise. A partir daquele momento, os bancos centrais passaram a atuar com uma discricionariedade e arbitrariedade sem precedentes no mundo desenvolvido. A teoria econômica já não seria suficiente para justificar as medidas extraordinárias. Somente argumentos contrafatuais poderiam embasar o pleito dos banqueiros centrais: "Se adotarmos a medida X, o resultado pode ser ruim, mas se não fizermos nada, será ainda pior". A despeito de jamais terem previsto a crise de 2007/08, as autoridades monetárias ainda gozavam de enorme confiança perante os políticos e a opinião pública. E, dessa forma, carta branca era dada pelos governos aos bancos centrais. A cautela era preterida, e o caminho estava livre para o grande experimento monetário do novo milênio.

Desde setembro de 2008, o rol de medidas extremas e imprevistas empregadas pelas principais autoridades monetárias globais é realmente assombroso. Resgate de bancos, seguradoras e montadoras; nacionalização de instituições financeiras; trocas de liquidez entre bancos centrais; monetização de dívida soberana; redução das taxas de juros a zero – aliada à promessa de que nesse nível permanecerão por um bom tempo; e compras maciças de ativos financeiros e hipotecas, quase ilimitadas e sem fim predeterminado, os notórios "afrouxamentos quantitativos" (*quantitative easing*, ou QE). E qual foram os resultados desse experimento? Quadruplicar o balanço do Federal Reserve; incitar uma guerra cambial[53] mundial, em que bancos centrais historicamente prudentes – como o Banco Nacional da Suíça – passaram a imprimir dinheiro desesperadamente, com o intuito de evitar uma apreciação abrupta de suas moedas; gerar imposição de controle de capitais, muitas vezes de forma velada; e reinflar os preços dos ativos financeiros (ações e bônus) e imobiliários, formando uma renovada bolha com potencial de destruição ainda maior.

Ao cidadão comum, resta assistir ao valor do seu dinheiro esvair-se, enquanto banqueiros centrais testam suas teorias, ora para salvar bancos, ora para resgatar governos quebrados, mas sempre sob o pretexto da inatingível estabilidade de preços. Na prática, a única estabilidade que existe é a da perda do poder de compra da moeda, e quanto a esta, a impotência da sociedade é absoluta.

53 RICKARDS, James. Currency Wars. New York: Penguin, 2011.

E é precisamente este ponto que ficou claro na atual crise: o cidadão não tem controle algum sobre seu dinheiro[54] e está à mercê das arbitrariedades dos governos e de um sistema bancário cúmplice e conivente. Além do imenso poder na mão dos bancos centrais, a conduta destes – envoltas por enorme mistério, reuniões a portas fechadas, atas indecifráveis, critérios escusos, decisões intempestivas e autoritárias – causa ainda mais consternação e desconfiança, justamente o oposto do que buscam. O que, nos dias de hoje, é uma grande ironia, pois, enquanto as autoridades monetárias se esquivam do escrutínio público, exigem cada vez mais informações da sociedade, invadindo a privacidade financeira dos cidadãos.

Isso nos traz a outro desdobramento do paradigma atual que vivemos: a crescente perda de privacidade financeira, frequentemente justificada pela ameaça do terrorismo, real ou imaginário, a qual foi intensificada depois dos ataques às torres gêmeas do World Trade Center em setembro de 2001.

Sob a alegação de impedir o financiamento de atividades terroristas e lavagem de dinheiro, quem acaba sofrendo as consequências da supervisão e espionagem são os cidadãos de bem, que encontram cada vez mais dificuldade para proteger seus ativos e movê-los a qualquer jurisdição fora do alcance dos governos. Em países emergentes, cujo histórico de estritos controles de capitais é bastante notório, a falta de liberdade financeira não é novidade. Mas aos cidadãos de países de primeiro mundo, esse novo paradigma não é nada bem-vindo.

É provável que nenhum país desenvolvido tenha avançando tanto a agenda contra a privacidade financeira como os Estados Unidos. Seguidos acordos secretos[55] com a União Europeia, Suíça e outros portos financeiros tidos como seguros têm levado o cidadão americano a ser um cliente altamente indesejado, quando não rejeitado em primeira instância. Muitos bancos europeus e suíços têm preferido declinar esses clientes, para não ter que obedecer a todas as exigências do governo dos EUA, como aquelas impostas pela infame legislação FATCA[56] (*Foreign Account Tax Compliance Act*). Aprovada pelo Congresso em 2010, a FATCA simplesmente concede à Receita Federal dos EUA (*Internal Revenue Service*, ou IRS) o poder de violar o direito de privacidade de cidadãos que detenham investimentos ou contas bancárias no exterior. Além disso, recruta instituições financei-

54 Talvez no Brasil isso fosse diferente, mas no exterior é inédito.
55 Another Loss of Personal & Financial Privacy, The Sovereign Society, 13 jul. 2010. Disponível em: <http://sovereignsociety.com/2010/07/13/another-loss-of-personal-financial-privacy/>. Acesso em: 20 dez. 2013.
56 Foreign Account Tax Compliance Act, Internal Revenue Service, 2010. Disponível em: <http://www.irs.gov/Businesses/Corporations/Foreign-Account-Tax-Compliance-Act-%28FATCA%29>. Acesso em: 20 dez. 2013.

ras como se agentes do IRS fossem, exigindo que monitorem e reportem clientes americanos, arcando com a totalidade dos custos para obedecer à legislação, sob pena de retaliações no caso de descumprimento.

Até mesmo a Suíça – cujo setor bancário tem sido historicamente um dos principais destinos para quem busca discrição e sigilo financeiro – tem sucumbido às demandas norte-americanas. As famosas contas numeradas – que permitem mais privacidade ao titular, por não ser necessário vincular seu nome à conta – tampouco estão livres dessa nova realidade. Pouco a pouco o governo dos EUA aperta o cerco à livre movimentação de capitais, pressionando governos ao redor do globo a adotar medidas prudenciais e cumprir as imposições das autoridades americanas.

Este é o paradigma do atual milênio: crescente perda de privacidade financeira; autoridades monetárias centralizadas e opressivas que abusam do dinheiro isentas de qualquer responsabilidade; e bancos cúmplices e coadjuvantes no desvario monetário.

Entretanto, se por um lado o cenário é desalentador, por outro, o terreno é fértil para a busca de novas soluções. Coincidência ou não, um mês após a quebra do Lehman Brothers, era lançada a pedra fundamental de uma possível solução à instabilidade do sistema financeiro mundial.

2. O BLOCO GÊNESE

Precisamente no dia 31 de outubro de 2008, Satoshi Nakamoto publicava o seu *paper*, "*Bitcoin: a Peer-to-Peer Electronic Cash System*[57]", em uma lista de discussão online de criptografia[58]. Baseado na simples ideia de um "dinheiro eletrônico totalmente descentralizado e *peer-to-peer*, sem a necessidade de um terceiro fiduciário", o sistema desenhado por Satoshi surgia como um novo experimento no campo financeiro e bancário.

A ideia em si não era nova. Na verdade ela já havia sido brevemente explicitada por Wei Dai, membro da lista de discussão *cypherpunk*[59], em 1998. Em seu texto, Wei Dai expunha as principais características do pro-

57 NAKAMOTO, Satoshi. Bitcoin: a Peer-to-Peer Electronic Cash System, 2008. Disponível em: <http://article.gmane.org/gmane.comp.encryption.general/12588/>. Acesso em: 20 dez. 2013.

58 Recomento fortemente ler na íntegra as trocas de mensagens entre os participantes e o próprio Satoshi Nakamoto após a publicação de seu *paper*. Disponível em: <http://www.mail-archive.com/cryptography@metzdowd.com/msg09959.html>. Acesso em: 20 dez. 2013.

59 Disponível em: <http://en.wikipedia.org/wiki/Cypherpunk>. Acesso em: 21 dez. 2013.

tocolo de uma criptomoeda e como ela poderia funcionar na prática[60]. O próprio Satoshi, reconhecendo as origens conceituais do Bitcoin, cita o texto de Wei Dai como a primeira referência em seu *paper*.

A um mero leigo no assunto, o *paper* de Satoshi pode ser pouco esclarecedor. Pode parecer um tanto técnico e pouco conceitual. E quase nada revela sobre as razões ideológicas por trás do Bitcoin. Por sorte, após tornar pública a ideia do Bitcoin, Satoshi pôs-se a responder as perguntas dos demais participantes da lista de discussões, esclarecendo desde temas técnicos e conceituais até questões políticas e econômicas; é exatamente lá que encontramos os indícios do pensamento político-filosófico de Satoshi.

Várias postagens suas ilustram a visão de mundo e o conhecimento econômico do criador do Bitcoin. Por exemplo, quando confrontado com a afirmação de que "não seria encontrada uma solução aos problemas políticos na criptografia", Satoshi concordou, mas ressaltou que "podemos vencer uma grande batalha na corrida armamentista e ganhar um novo território de liberdade por vários anos. Governos são bons em cortar a cabeça de redes centralmente controladas, como o Napster, mas redes puramente P2P, como Gnutella e Tor, parecem seguir em frente inabaladas[61]".

Em uma postagem posterior, um membro do grupo conclui que o protocolo do Bitcoin garante uma inflação de 35%, ao que Satoshi o corrige, atentando para a regra de que a oferta de bitcoins ao longo do tempo é sabida com antecedência por todos os participantes. "Se a oferta de moeda aumenta à mesma taxa de crescimento de pessoas que a usam, os preços permanecem estáveis", destaca Satoshi, concluindo que "se ela não cresce tão rápido quanto a demanda, haverá deflação, e os primeiros detentores

---

60 Nas palavras de Wei Dai, uma criptomoeda teria impactos extraordinários: "Eu estou fascinado com a cripto-anarchia do Tim May [membro fundador da lista de discussão *Cypherpunk*]. Ao contrário das comunidades tradicionalmente associadas à palavra 'anarquia', em uma cripto-anarquia o governo não é temporariamente destruído, mas permanentemente proibido e permanentemente desnecessário. É uma comunidade em que a ameaça de violência é impotente porque é impossível, e a violência é impossível porque os participantes não podem ser vinculados aos seus nomes verdadeiros ou às localidades físicas... Até agora não está claro, até mesmo teoricamente, como tal comunidade poderia operar. Uma comunidade é definida pela cooperação de seus participantes e cooperação eficiente requer um meio de troca (dinheiro) e uma forma de fazer cumprir contratos. Tradicionalmente esses serviços têm sido providos pelo governo ou por instituições patrocinadas pelo governo e somente a entidades jurídicas. Neste artigo eu descrevo um protocolo pelo qual esses serviços podem ser providos para e por entidades não rastreáveis... O protocolo proposto neste artigo permite que entidades pseudônimas não rastreáveis cooperem umas com as outras mais eficientemente, por meio da provisão de um meio de troca e um método de fazer cumprir contratos. Provavelmente o protocolo pode ser aprimorado, mas espero que isso seja um passo à frente do sentido de tornar a cripto-anarquia uma possibilidade prática e teórica". Disponível em: <http://www.weidai.com/bmoney.txt>. Acesso em: 21 dez. 2013.

61 Disponível em: <http://www.mail-archive.com/cryptography@metzdowd.com/msg09971.html>. Acesso em: 21 dez. 2013.

da moeda verão seu valor aumentar"[62].

Mas talvez o vestígio mais interessante sobre a visão crítica de Satoshi acerca dos sistemas monetário e bancário vigentes esteja gravado justamente no bloco gênese[63], o primeiro bloco do *blockchain*. Às 18h15 do dia 3 de janeiro de 2009, nascia oficialmente o Bitcoin, com a primeira transação de sua história, transmitida à rede por Satoshi, registrada no bloco gênese e acompanhada da seguinte mensagem:

> THE TIMES 03/JAN/2009 CHANCELLOR ON BRINK OF SECOND BAILOUT FOR BANKS

A alusão à manchete do jornal britânico *The Times* daquele dia não é acidental. É, na verdade, um claro indicativo da visão crítica de Satoshi sobre o sistema bancário e a desordem financeira reinante. Nesse contexto, o projeto Bitcoin vinha a ser uma tentativa de resposta à instabilidade financeira causada por décadas de monopólio estatal da moeda e por um sistema bancário de reservas fracionárias.

Poucos dias após a transmissão do bloco gênese, era disponibilizado aberta e gratuitamente para *download* o cliente Bitcoin v0.1. Era o início do grande experimento monetário e bancário do novo milênio.

3. O QUE POSSIBILITOU A CRIAÇÃO DO BITCOIN

Os motivos fundamentais que impulsionaram a criação do Bitcoin são, portanto, evidentes: um sistema financeiro instável e com elevado nível de intervenção estatal e a crescente perda de privacidade financeira. Mas esse estado de coisas não é novidade. A intervenção dos governos no âmbito monetário é milenar, assim como a cumplicidade e conivência do sistema bancário. A diferença entre o sistema financeiro mundial atual e o de cem anos atrás é meramente de grau; na sua essência, a intervenção es-

62 Disponível em: <http://www.mail-archive.com/cryptography@metzdowd.com/msg09979.html>. Acesso em: 21 dez. 2013. Aqui Satoshi emprega o conceito de inflação e deflação no sentido de aumento ou redução dos preços, e não no sentido de aumento ou redução da oferta monetária (conforme o conceito da Escola Austríaca de Economia).

63 Disponível em: <https://en.bitcoin.it/wiki/Genesis_block>. Acesso em: 21 dez. 2013.

tatal prevalece tanto hoje como no início do século XX. Por que então algo como o Bitcoin não surgiu antes? Por que precisamos assistir ao sistema financeiro mundial tornar-se tão vulnerável, a ponto de quase testemunharmos o seu mais absoluto colapso em 2008? Simplesmente porque, antes, uma tecnologia como a internet não estava disponível e madura como hoje está; de fato, a rede mundial de computadores foi o que viabilizou a criação do Bitcoin. A era da informação revolucionou diversos aspectos da cooperação social, e não poderia ser diferente com uma das instituições mais importantes para o convívio em sociedade, o dinheiro.

Aparentemente surgido do nada, o Bitcoin é, em realidade, resultado de mais de duas décadas de intensa pesquisa e desenvolvimento por pesquisadores praticamente anônimos. No seu âmago, o sistema é um avanço revolucionário em ciência da computação, cujo desenvolvimento foi possibilitado por 20 anos de pesquisa em moedas criptográficas e 40 anos de pesquisa em criptografia por milhares de pesquisadores ao redor do mundo[64].

Mas para entendermos melhor como a ciência da computação e a internet possibilitaram a criação do experimento Bitcoin, é preciso ir mais além e compreender as principais tecnologias intrínsecas ao sistema. Basicamente, o Bitcoin é a junção de duas tecnologias: a distribuição de um banco de dados por meio de uma rede *peer-to-peer* e a criptografia. A primeira foi somente possível com o advento da internet. Já a segunda é bastante antiga, mas seu potencial não poderia ter sido devidamente explorado antes da era da computação.

Ao contrário das redes usuais, em que há um servidor central e os computadores (clientes ou nós, *nodes*, em inglês) se conectam a ele, uma rede *peer-to-peer* não possui um servidor centralizado. Nessa arquitetura de redes, cada um dos pontos ou nós da rede funciona tanto como cliente quanto como servidor – cada um dos nós é igual aos demais (*peer* traduz-se como “par” ou “igual”) –, o que permite o compartilhamento de dados sem a necessidade de um servidor central. Por esse motivo, uma rede *peer-to-peer* é considerada descentralizada, em que a força computacional é distribuída.

64 Ver artigo de Marc Andreessen, sócio-fundador da empresa de *venture capital* Andreessen Horowitz, investidora de algumas empresas dedicadas ao desenvolvimento do Bitcoin, Why Bitcoin Matters, 22 jan. 2014. Disponível em: <http://blog.pmarca.com/2014/01/22/why-bitcoin-matters/>. Acesso em: 26 jan. 2014.

A ideia de redes distribuídas não é nova e vem se desenvolvendo desde 1960 nos Estados Unidos. Mas foi com o surgimento da internet que as redes *peer-to-peer* realmente ganharam terreno e notoriedade. No final da década de 90, com a criação do Napster[65], essas redes se tornaram ainda mais populares, atraindo dezenas de milhões de pessoas dedicadas a trocar arquivos de áudio entre si. Desde então, diversas variantes de redes descentralizadas surgiram[66], frequentemente visando a troca de arquivos digitais.

No caso do Bitcoin, a rede *peer-to-peer* desempenha uma função fundamental: a de garantir a distribuição do *blockchain* a todos os usuários, assegurando que todos os nós da rede detenham uma cópia atual e fidedigna do histórico de transações do Bitcoin a todo instante. Dessa forma, novas transações são transmitidas a todos os nós, registradas no log de transações único e compartilhado, tornando redundante a existência de um servidor central. Em um mundo pré-digital, seria simplesmente inconcebível levar a cabo tal logística.

A criptografia, entretanto, não é uma tecnologia nova. O estudo da arte de cifrar mensagens – em que somente o remetente e o destinatário têm acesso ao conteúdo – remonta aos tempos passados: os primeiros registros datam ao redor de 2.000 a.C., no Egito. Historicamente, a criptografia foi utilizada por estados em assuntos ligados às guerras e à diplomacia com objetivo de interceptar mensagens e desvendar comunicações encriptadas.

É na era da computação, contudo, que a criptografia atinge seu apogeu. Antes do século XX, a criptografia preocupava-se principalmente com padrões linguísticos e análise de mensagens, como a própria etimologia sugere (criptografia, do grego *kryptós*, "escondido", e *gráphein*, "escrita"). Hoje em dia, a criptografia é também uma ramificação da matemática, e seu uso no mundo moderno se estende a uma gama de aplicações presentes no nosso cotidiano, sem que sequer a percebamos, como em sistemas de telecomunicações, comércio online ou para proteção de sites de bancos. A criptografia moderna permite a criação de comprovações matemáticas que oferecem um altíssimo nível de segurança.

Aplicada ao Bitcoin, a criptografia desempenha duas funções essenciais: a de impossibilitar que um usuário gaste os bitcoins da carteira de outro usuário (autenticação e veracidade das informações) e a de impedir

---

65 Em realidade, o Napster era uma rede semicentralizada, pois ainda que os computadores intercambiassem arquivos entre si, de forma *peer-to-peer*, os usuários conectavam-se a um servidor central – que continha os dados dos usuários, bem como o endereço de suas pastas e arquivos de música –, para a busca de arquivos. Devido a sua natureza semicentralizada, o Napster foi facilmente encerrado pelas autoridades americanas em 2001.

66 Por exemplo, a Gnutella e o BitTorrent, ambos ativos e operantes.

que o *blockchain* seja violado e corrompido (integridade e segurança das informações, evita o gasto duplo). Além disso, a criptografia também pode ser usada para encriptar uma carteira, de modo que ela só possa ser utilizada com uma senha definida por seu proprietário.

Assim, a aliança das duas tecnologias, uma rede descentralizada e a criptografia moderna, torna realidade o que há alguns anos era absolutamente inconcebível na prática e que, há alguns séculos, nem mesmo em teoria poderia ter sido imaginado.

Capítulo IV

O que a teoria econômica tem a dizer sobre o Bitcoin

> "O maior erro que pode ser feito na investigação econômica é o de fixar a atenção a meras aparências e, assim, fracassar em perceber a diferença fundamental entre coisas cujos exteriores apenas são similares, ou de discriminar entre duas coisas fundamentalmente similares cujos exteriores apenas são distintos."
>
> Ludwig von Mises, *The Theory of Money and Credit*

O EXPERIMENTO BITCOIN É, no mínimo, intrigante. Ao economista, ele impõe algumas complicações que, à primeira vista, podem levar muitos estudiosos a uma apressada rejeição – deslize este que o presente autor confessa abertamente ter cometido. Boa parte do ceticismo em relação à moeda digital reside na complexidade tecnológica intrínseca ao Bitcoin, o que intimida muitos economistas – especialmente os de idade mais avançada – e impede uma sincera apreciação do fenômeno. Outra possível razão – relacionada ao que foi explicado no capítulo anterior – é que a existência de um sistema como o Bitcoin era simplesmente inconcebível na prática e quase impossível de imaginar em teoria. A muitos economistas, a própria acepção dessa realidade pode ser um desafio. A outros, a precipitada classificação de bolha é suficiente para ignorar a moeda digital.

Independentemente da justificativa, o fato é que Bitcoin existe. E uma vez que a realidade está dada – o Bitcoin foi concebido e lançado, evolui e perdura –, qual deve ser a postura do economista? Prender-se cegamente às suas teorias, negando a realidade? Creio que não, outro caminho é possível. Com honestidade e humildade, é preciso dar um passo atrás, revisitar a teoria econômica, buscando interpretar a realidade, observando os fenômenos e aplicando o conhecimento acumulado até o presente. Durante o processo, é possível que velhas teorias precisem ser revistas ou refinadas. E, como alerta Mises, sempre procurando distinguir as meras aparências da essência das coisas.

Mas qual teoria monetária deve guiar a análise do Bitcoin? Mises classifica as teorias monetárias a partir da dicotomia *catalácctica* e *acataláctica*[67]. A teoria monetária cataláctica explica os fenômenos monetários por meio das leis das trocas de mercado. É por meio dos intercâmbios de mercado que o dinheiro surge, e é pela lei da oferta e demanda que seu valor ou poder de compra é determinado. Uma teoria do valor do dinheiro precisa incorporar esse enfoque, o que não garante que ela será correta. Mas uma teoria monetária que ignora a perspectiva cataláctica jamais será satisfatória[68].

Dentre as teorias monetárias acatalácticas, a Teoria Estatal da Moeda, de Georg Friedrich Knapp, é a mais proeminente. Segundo ela, o valor da moeda é derivado de decreto governamental. Seu poder de compra é estabelecido por lei – *valor impositus*: o valor da moeda depende da autoridade estatal. À luz da Teoria Estatal da Moeda, a análise do Bitcoin acabaria sem nem sequer começar; o estado não reconhece Bitcoin como moeda e, portanto, a moeda não tem valor algum. Logo, não nos pode servir como ferramental teórico para analisar o fenômeno. A teoria nada tem a dizer sobre Bitcoin. E isso se deve ao fato não de ser uma teoria monetária ruim, mas sim, em realidade, de *não ser uma teoria monetária sequer*[69].

Assim, e como é evidente, é a partir da teoria monetária cataláctica de Mises que basearemos nosso estudo da moeda digital. Entretanto, antes de iniciarmos a análise econômica, é preciso definir com precisão alguns termos e conceitos, para que não haja ambiguidade e que o entendimento seja o mais claro possível.

Meio de troca é um bem econômico utilizado nas trocas indiretas que soluciona o problema da dupla coincidência de desejos das trocas diretas, ou escambo. O padeiro quer leite, enquanto o leiteiro quer um sapato. Como resolver o problema? O padeiro também tem sal e sabe que o sapateiro e outros produtores também o demandam. Logo, o leiteiro, em troca de seu leite, aceita o sal, não para consumi-lo, mas para trocá-lo no futuro pelo sapato do sapateiro. À medida que mais indivíduos passam a usar o sal nas trocas indiretas, a mercadoria torna-se, consequentemente, um meio de troca.

---

67 De *cataláxia*: a teoria da economia de mercado, isto é, das relações de troca e dos preços. Analisa todas as ações com base no cálculo monetário e rastreia a formulação de preços até a sua origem, ou seja, até o momento em que o homem fez sua escolha. Explica os preços de mercado como são, e não como deveriam ser. As leis da cataláxia não são julgamentos de valor; são exatas, objetivas e de validade universal.

68 MISES, Ludwig von Mises. The Theory of Money and Credit. New Haven: Yale University Press, 1953. p. 462.

69 Ibid., p. 468.

Eventualmente, um meio de troca ganha mais mercado, ampliando sua liquidez, emergindo como o meio de troca universalmente aceito, tornando-se, então, *dinheiro*.

Frequentemente, o termo *moeda* e *dinheiro* confundem-se, especialmente na língua portuguesa. Moeda pode ser o dinheiro ou o padrão monetário usado em determinado país (como o dólar nos Estados Unidos e o real no Brasil). Neste último sentido, o termo equivale à palavra inglesa *currency*. Moeda também são as moedas físicas usadas como dinheiro, sejam elas feitas de cobre, ouro ou qualquer outro material. Dinheiro, em português coloquial, engloba, sobretudo, os conceitos de papel-moeda e as moedas metálicas que usamos nas trocas do dia a dia ("pagamento com cheque ou em dinheiro?"). Salvo expressamente indicado em contrário, utilizaremos o termo *dinheiro* no sentido de meio de troca universalmente aceito, ora intercambiando, sem prejuízo de entendimento, com o termo *moeda*.

Juridicamente, moeda é o meio de pagamento definido em lei pelo estado. Ao economista, a terminologia jurídica pouco interessa. E por essa razão, devem-se descartar as definições de moeda – às quais muitos economistas se apegam – que a qualificam como um símbolo da nação, de identidade nacional, etc. Essa noção deriva da visão do meio de troca como uma criatura do estado e que a ele pertence. A moeda não é propriedade do soberano, nem de nenhum governo. Embora tenha estado sob controle de governos em grande parte da história, sua origem é catalácticа, independentemente das disposições legais em certo tempo e lugar.

Ao fim deste capítulo, retomaremos a definição de moeda, buscando aportar algumas matizações a essa questão fundamental, refinando assim nosso próprio entendimento sobre a instituição do dinheiro em geral e o Bitcoin em particular.

Feito esse preâmbulo, podemos agora dar início a essa empreitada para compreender o fenômeno e como ele pode impactar o mundo em que vivemos.

1. O NASCIMENTO DO DINHEIRO

Quando iniciamos a análise do Bitcoin, as dúvidas abundam. A moeda digital seria mesmo considerada dinheiro? A inovação não seria na verdade um mero sistema de pagamentos ou de transferência de fundos? Pode uma unidade de bitcoin, algo que inexiste no mundo físico, ser considerado um bem? Há valor intrínseco em uma moeda virtual?

Qual o lastro do Bitcoin? Estaríamos revivendo a bolha das Tulipas na versão digital?

Para responder satisfatoriamente essas e outras questões relacionadas ao fenômeno Bitcoin, nosso ponto de partida da análise econômica deve ser sempre o mesmo: o estudo da ação humana, ou praxeologia. Curiosamente, a praxeologia parece ser a melhor ferramenta para analisar o mundo virtual do Bitcoin e sua relação com as ações dos indivíduos, porque ela "lida não com o mundo exterior, mas com a conduta do homem em relação ao mundo exterior[70]". A intangibilidade do Bitcoin, ao economista, não deveria impor uma complexidade adicional, pois a economia "não trata de coisas ou de objetos materiais tangíveis; trata de homens, de suas apreciações e das ações que daí derivam[71]".

O homem atua para atingir seus objetivos, empregando meios considerados por ele próprio como adequados à consecução do fim desejado. Após o início da operação do software Bitcoin v0.1, Satoshi gastou os primeiros bitcoins em uma transação com Hal Finney no dia 12 de janeiro de 2009[72]. Visando testar o funcionamento do sistema (o fim), Satoshi transferiu seus bitcoins (meio) a Hal Finney. Se esse realmente foi o fim almejado por Satoshi, só podemos especular. Identificar o fim pretendido da ação não é o objetivo do estudo econômico. A partir do axioma da ação humana, sabemos que o homem age utilizando-se de meios para atingir seus fins, e isso é tudo o que precisamos saber. No caso de Satoshi, temos o registro histórico de uma ação – o primeiro gasto de bitcoins – em que bitcoins foram usados como meio para a consecução do fim desejado, independentemente de qual seja ele.

À medida que o Bitcoin foi progredindo, outros usuários passaram a utilizar bitcoins para a consecução de seus objetivos – dos mais variados, como o *geek* que quer ostentar as maravilhas de uma criptografia; o sujeito que compra bitcoins como forma de protesto ao *status quo*; ou os entusiastas envolvidos no projeto Bitcoin que buscam testar a nova ferramenta. Como dito acima, o essencial não é identificar com precisão o objetivo de cada indivíduo, mas sim ressaltar o registro histórico de que indivíduos atuaram empregando bitcoins como meio para a consecução de um fim.

70 MISES, 2010, p. 125.
71 Ibid., p. 125.
72 Disponível em: <https://bitcointalk.org/index.php?topic=91806.msg1012234#msg1012234>. Acesso em: 22 dez. 2014.

Ainda que o fim último do projeto Bitcoin seja torná-lo um meio de troca totalmente eletrônico, naquele instante, bem no início de sua vida, bitcoins eram adquiridos não para serem empregados como um meio de troca, e sim para o próprio consumo direto, de modo a atingir o fim pretendido; e esse é precisamente o ponto de partida para que qualquer bem venha a tornar-se um meio de troca e, eventualmente, dinheiro, o meio de troca universalmente aceito. É preciso que o bem em questão proporcione um valor de uso – seja ele qual for – antes de ser utilizado como meio de troca. No início de 2009, aos olhos dos seus compradores, bitcoins eram simplesmente mercadorias virtuais, bens econômicos, e nada mais além disso. *A esses compradores*, bitcoins supriam uma necessidade e eram úteis, isto é, detinham uma utilidade. Por que grifar "a esses compradores"? Porque a utilidade aqui definida é algo subjetivo, é percebida pelo próprio ator – nesse caso, os adquirentes de bitcoins – e não pode ser observada por um terceiro.

É importante aprofundarmo-nos, neste momento, no conceito de utilidade, pois muitas das críticas ao Bitcoin se baseiam em uma errônea, ou incompleta, noção de utilidade. Mises, em *Ação Humana*, explica que:

> *Utilidade* significa simplesmente relação causal para a redução de algum desconforto. O agente homem supõe que os serviços que um determinado bem podem produzir irão aumentar o seu bem estar e a isto denomina utilidade do bem em questão. Para a praxeologia, o termo utilidade é equivalente à importância atribuída a alguma coisa em razão de sua suposta capacidade de reduzir o desconforto. A noção praxeológica de utilidade (valor de uso subjetivo segundo a terminologia dos primeiros economistas da Escola Austríaca) deve ser claramente diferenciada da noção tecnológica de utilidade (valor de uso objetivo, segundo a terminologia dos mesmos economistas). Valor de uso objetivo é a relação entre uma coisa e o efeito que a mesma pode produzir. É ao valor de uso objetivo que nos referimos ao empregar termos tais como 'valor calórico' ou 'potência calorífica' do carvão. *O valor de uso subjetivo não coincide necessariamente com o valor de uso objetivo.*[73] (ênfase do presente autor).

Qual o seria valor de uso objetivo de uma unidade de bitcoin? Qual é a utilidade *tecnológica* de um bitcoin? Talvez a principal resida no fato de

73 MISES, 2010, p. 156-157.

que somente bitcoins podem ser usados na rede Bitcoin. Não é possível transferir dólares pelo *blockchain*, mas bitcoins, sim. Essa propriedade *intrínseca* de um bitcoin é algo extremamente útil. Além disso, um bitcoin pode ser usado para designar e certificar *propriedade de um bem*. Neste primeiro momento, os próprios bitcoins são o bem em questão. À medida que a rede se desenvolva, é plenamente possível que outras utilidades e aplicações venham a ser descobertas ou criadas pelo homem[74].

Mas qual seria o valor de uso subjetivo de um bitcoin? Somente cada indivíduo pode determinar. O que o economista pode inferir é que bitcoins *foram* e *têm sido* valorados pelos indivíduos que os adquiriram e os utilizam independentemente de qual seja o uso pretendido.

Em *Theorie des Geldes und Umlaufsmittel*[75] (Teoria do Dinheiro e da Moeda Fiduciária), sua primeira grande obra, Ludwig von Mises expõe o famoso teorema da regressão para analisar e compreender a origem e o valor do dinheiro. Segundo esse teorema, é impossível qualquer tipo de dinheiro surgir já sendo um imediato meio de troca; um bem só pode alcançar o status de meio de troca se, antes de ser utilizado como tal, ele já tiver obtido algum valor como mercadoria. Qualquer que seja o meio de troca, ele precisa antes ter tido algum uso como mercadoria, para só então passar a funcionar como meio de troca. É preciso que haja um valor de uso prévio ao valor de meio de troca.

No caso do ouro e da prata, sabemos que foram escolhidos pela humanidade como o dinheiro por excelência ao longo de centenas de anos por meio de milhões de intercâmbios no mercado. Mas seria impossível datar precisamente quando o ouro surgiu como mercadoria, quando passou a ser utilizado como meio de troca e quando preponderou como o bem mais líquido ou mais "vendável" *(marketable)*, tornando-se, por fim, o meio de troca universalmente aceito, ou, simplesmente, dinheiro.

No caso de Bitcoin, temos a data exata: a moeda digital nasceu no dia 3 de janeiro de 2009. Alguns meses depois, passou a ser consumida, ou adquirida, não para ser usada como meio de troca – afinal de contas, pouquíssimos indivíduos nem sequer o conheciam –, mas sim para satisfazer alguma necessidade individual, ou seja, certo valor de uso estava presente. E não é imprescindível identificarmos com exatidão qual necessidade ou objetivo levou os primeiros compradores de bitcoin a trocar alguns dóla-

74 As futuras e possíveis aplicações do Bitcoin serão tratadas com mais detalhes no último capítulo do livro.
75 MISES, Ludwig von. Theorie des Geldes und Umlaufsmittel. Munique: Verlag von Duncker & Humblot, 1924.

res por uma unidade bitcoin (1 BTC). O que importa não é o *porquê*, mas sim o fato de que houve demanda real e bitcoins foram adquiridos e preços foram formados na busca por essa mercadoria. Nesse sentido, o nascimento do Bitcoin em nada contraria o teorema da regressão de Mises, pois tudo o que precisamos demonstrar é que "*valor de uso esteve presente em algum momento, bem no início e dentro da escala de valores das pessoas envolvidas em criar e negociar com a mercadoria*[76]".

Dentre os economistas da Escola Austríaca, essa é uma questão contenciosa, uma vez que vários alegam que o Bitcoin contraria o *teorema da regressão*. Como explicado acima, tal alegação não se sustenta. Mas é essencial, enquanto economistas, desenvolvermos o argumento com mais profundidade. E para isso, é preciso deixar claro o que o teorema da regressão *não* afirma. Por exemplo, o teorema não afirma que, a fim de uma mercadoria tornar-se meio de troca, é preciso um *amplo* e *facilmente identificado* valor de uso objetivo ou utilidade tecnológica. O teorema também não define, nem elenca, as propriedades intrínsecas necessárias para que um bem seja empregado pelo mercado como um eventual meio de troca. Também não é estabelecido com qual *intensidade* nem *por quanto tempo* o bem deva apresentar algum valor de uso reconhecido pelos indivíduos. O teorema, contudo, afirma ser necessária a presença de *algum* valor de uso *subjetivo* prévio ao aparecimento do valor de troca, mesmo que um terceiro não consiga observá-lo. Antes de ser empregada como um meio de troca, a mercadoria precisa ser valorada *pelo indivíduo* devido às suas propriedades intrínsecas – *sejam elas quais forem* – e ao efeito que estas podem ter, segundo *julgamento do próprio indivíduo*.

Ao expor o teorema, Mises usou o *exemplo* do ouro como a mercadoria que, escolhida pelo mercado, passou a ser valorada não somente por suas qualidades intrínsecas (valor de uso objetivo), mas também como um meio de troca (valor de troca). O ouro, portanto, serviu como ilustração histórica, não como comprovação teórica do teorema da regressão.

Imaginando-se o surgimento do ouro no mercado, poderíamos traçar alguns paralelos entre o que ocorreu então e as críticas atuais contra o Bitcoin. Por exemplo, quando o metal foi descoberto, qual era o seu valor de uso objetivo? Qual a utilidade de um metal cujas propriedades físico-químicas não permitiam que ele servisse como alimento ao homem? Nem tampouco pudesse servir para prender fogo?[77] Agora seu valor de

---

76 GRAF, Konrad S. Bitcoins, the regression theorem, and that curious but unthreatening empirical world, 27 fev. 2013. Disponível em: <http://konradsgraf.com/blogl/2013/2/27/in-depth-bitcoins-the-regression-theorem-and-that-curious-bu.html>. Acesso em: 22 dez. 2013.

77 Destacando o fato de que a moeda despertou a curiosidade de pensadores ao longo da história da humanidade, Carl Menger ressalta precisamente esse ponto. Referindo-se ao ouro ou moedas metáli-

uso *subjetivo* está amplamente documentado. Na maior parte dos exemplos históricos, o ouro serviu basicamente como adorno, como enfeite à vestimenta ou a casas, templos, etc. Seu uso industrial, como o conhecemos atualmente, foi somente possibilitado após alguns milênios de progresso econômico. Quando o metal surgiu, é plenamente possível que ele apresentasse *pouquíssimas* aplicações; era muito pouco útil sob a perspectiva de seu valor de uso objetivo. Mas isso não o impediu de ser empregado cada vez mais como um meio de troca, passando a ser cada vez mais valorado como tal do que apenas como uma mercadoria que pouco valor de uso parecia proporcionar. Quando, por fim, o ouro preponderou como o meio de troca mais líquido (a moeda), seu valor de uso passou a coincidir com o valor de troca, isto é, sua utilidade residia principalmente no seu emprego como meio de troca, e não como adorno. A partir desse instante, já não é mais necessário que o bem usado como moeda apresente algum outro uso além de meio de troca. Após a transição de mercadoria para meio de troca universalmente aceito, seu valor pode depender exclusivamente de seu uso como dinheiro.

É precisamente esse o caminho percorrido pelo Bitcoin. De uma mercadoria virtual – com pouco valor de uso objetivo identificado, mas algum valor de uso subjetivo, conforme percebido por alguns indivíduos –, um bitcoin passou a ser empregado como meio de troca, embora muito menos líquido do que as moedas que estamos acostumados a utilizar.

Mas quando exatamente o Bitcoin virou meio de troca? A primeira transação[78] de que se tem notícia se deu em maio de 2010, quando 'laszlo' trocou uma pizza por 10 mil BTC – em retrospecto, pode ter sido a pizza mais cara do mundo (10 mil BTC = 8,5 milhões de dólares, cotação de 23/11/13). Mises afirma que o teorema da regressão "não é meramente um conceito instrumental de teoria; é um fenômeno real de história econômica, que se faz aparente no momento em que a troca indireta começa"[79]. Dessa forma, o fenômeno Bitcoin nos fornece uma perfeita ilustração histórica da teoria monetária de Mises. O fato é que, desde então, bitcoins passaram a funcionar como meio de troca, de acordo com o seu objetivo fundamental. Estamos potencialmente testemunhando em "tempo real" o nascimento de uma moeda. E o que é mais extraordinário, com um vasto

cas, Menger pergunta-se: "Qual a natureza destes pequenos discos ou documentos, que eles próprios parecem não servir nenhuma função útil e que, ainda assim, e em contradição com o resto da experiência, passam de uma mão a outra em troca das commodities mais úteis, pelos quais todo mundo está prontamente disposto a entregar seus produtos? A moeda é um membro orgânico do mundo das commodities ou é uma anomalia econômica?" MENGER, Carl. On the Origins of Money. Economic Journal, volume 2, 1892. p. 239.

78 Disponível em: <https://en.bitcoin.it/wiki/History#2010>. Acesso em: 22 dez. 2013.

79 MISES, 1953, p. 121.

registro documental disponível para qualquer economista investigar. Não há incompatibilidade alguma entre o teorema da regressão de Mises e o surgimento do Bitcoin. Ao contrário, este é a mais recente ilustração histórica daquele. O teorema é um enunciado praxeológico; cabe ao economista a função de aplicá-lo na interpretação de eventos históricos.

2. Escassez intangível e autêntica

"Os meios são, necessariamente, sempre escassos, isto é, insuficientes para alcançar todos os objetivos pretendidos pelo homem."[80] Chamamos de bens econômicos tudo aquilo que é empregado como meio no âmbito da ação humana. Bens econômicos estão sujeitos, portanto, à realidade da escassez; isso implica que um mesmo bem não pode ser usado como meio por mais de um indivíduo no mesmo instante. O meu uso de dado bem econômico exclui a possibilidade de uso dele por outros agentes.

No mundo material, dos bens físicos, essa relação é facilmente observada. Mas não somente objetos materiais podem ser empregados como meio na ação humana. "No nosso universo não existem meios; só existem coisas. Uma coisa só se torna um meio quando a razão humana percebe a possibilidade de empregá-la para atingir um determinado fim e realmente a emprega com este propósito."[81] A possibilidade de empregar um bem como meio reside nas propriedades deste, as quais não estão restritas a um sentido puramente físico. Corpóreo ou não, um bem pode ser empregado como meio quando é capaz de oferecer serviços úteis à consecução de um fim.

Mas como encaixar bens digitais – como o Bitcoin – nesse contexto? Bens digitais não são quase infinitamente reproduzíveis, portanto, não escassos? De fato, a era digital levou o economista a confrontar problemas antes pouco explorados ou até mesmo pouco compreendidos. Um refinamento sobre a escassez dos bens econômicos é fundamental[82].

Tucker e Kinsella elucidam que um objeto pode 1) ser um bem econômico (no sentido de meio na estrutura da ação humana) e escasso, como um sapato, uma caixa de suco, etc.; 2) não ser um bem econômico, mas escasso, como uma lesma ou uma sopa com veneno; 3) ser um bem

80 MISES, 2010, p. 126.
81 MISES, 2010, p. 125.
82 TUCKER e KINSELLA. Goods, Scarce and Nonscarce. Mises Daily, Auburn: Ludwig von Mises Institute, 25 ago. 2010. Disponível em: <http://mises.org/daily/4630/>. Acesso em: 22 dez. 2013.

econômico e não escasso, como uma receita de bolo, uma ideia, etc.; e 4) não ser um bem econômico nem escasso, como uma ideia ruim, um som horrível, etc. O advento da computação, e com ela, da mídia digital, expandiu a quantidade de objetos que poderiam ser classificados como bens econômicos não escassos. Um arquivo digital (como uma planilha em Excel, um arquivo de texto, arquivos de áudio MP3 ou vídeo MP4, etc.) pode ser reproduzido inúmeras vezes sem que a cópia original seja de qualquer forma prejudicada. Isto é, o proprietário do arquivo original pode utilizá-lo da forma que bem entender simultaneamente com os detentores das diversas cópias. Resumidamente, "um bem não escasso é um bem copiável enquanto o original permanece intacto e é utilizável por múltiplos atores simultaneamente e sem interferência mútua"[83].

Aplicando essas definições ao caso do Bitcoin, verificamos que a questão é distinta. Um bitcoin pode existir somente em uma carteira em dado momento devido ao protocolo do sistema que registra todas as transações no *blockchain* único e distribuído, que impede o gasto duplo. E é importante ressaltar que essa não é uma opção disponível do Bitcoin, mas sim uma característica integral e inseparável do software.

A tecnologia utilizada pelo protocolo do Bitcoin, uma rede *peer-to-peer*, aliada ao potencial da criptografia moderna faz com que uma unidade de bitcoin seja um bem econômico escasso, "um bem *não* copiável enquanto o original permanece intacto e *não* utilizável por múltiplos atores simultaneamente e sem interferência mútua". Somente 21 milhões de unidades poderão ser criadas; ninguém pode gastar a mesma unidade diversas vezes e nenhuma unidade bitcoin pode ser gasta por vários usuários simultaneamente. Isso demonstra outra característica que define um bitcoin como um bem econômico: o poder do proprietário de controlar o seu bitcoin[84]. Somente o dono do bitcoin pode usar sua chave privada para dispor de seus bitcoins, transferindo-os a quem desejar.

O Bitcoin trouxe, portanto, escassez autêntica ao mundo dos bens digitais não escassos – uma escassez intangível e autêntica.

---

83 GRAF, Konrad S. The sound of one bitcoin: Tangibility, scarcity, and a "hard-money" checklist, 19 mar. 2013. Disponível em: <http://konradsgraf.com/blog1/2013/3/19/in-depth-the-sound-of-one--bitcoin-tangibility-scarcity-and-a.html>. Acesso em: 22 dez. 2013.

84 BÖHM-BAWERK, Eugen. Whether Legal Rights And Relationships Are Economic Goods, Shorter Classics Of Eugen Von Böhm-Bawerk Volume I, South Holland: Libertarian Press, 1962.

3. Moeda tangível e intangível

A criação do Bitcoin trouxe à tona algo que esteve presente com a humanidade por séculos, mas que talvez somente agora se tenha feito evidente: a intangibilidade do dinheiro que usamos. Mas para demonstrá-la, é preciso retornar à origem do dinheiro.

Os registros históricos documentam os mais diversos bens que desempenharam a função de meio de troca ao longo do tempo: tabaco, na Virgínia colonial; açúcar, nas Índias Ocidentais; sal, na Etiópia (na época, Abissínia); gado, na Grécia antiga; pregos, na Escócia; cobre, no Antigo Egito; além de grãos, rosários, chás, conchas e anzóis. Entretanto, ao longo dos séculos, duas mercadorias, o ouro e a prata, foram espontaneamente escolhidas como dinheiro na livre concorrência do mercado, desalojando todas as outras dessa função. A característica comum a todas essas mercadorias é a tangibilidade. Todos esses bens são objetos materiais que existem no mundo físico com propriedades químicas, físicas e até mesmo biológicas distintas.

Com o desenvolvimento e a intensificação da divisão do trabalho, o crescimento econômico exigiu um aperfeiçoamento do dinheiro utilizado nos intercâmbios no mercado. Surgiu então o serviço de custódia do ouro (ou qualquer outro metal monetário), no início provido pelos ourives e posteriormente pelos bancos, em que os depositantes recebiam certificados de armazenagem. Os certificados passaram, então, a circular como se o próprio metal fosse, facilitando o uso do dinheiro metálico. À medida que o uso do papel físico (o certificado ou cédula bancária, ou seja, um *substituto de dinheiro*) ampliou-se, o número de transações com o ouro de verdade diminuiu. Dessa forma, os bancos cresceram e ganharam gradativamente a confiança dos clientes, até o ponto de estes julgarem que era mais conveniente abrir mão de seu direito de receber a cédula bancária, e, em vez disso, manter sua titularidade na forma de contas que podiam ser movimentadas sob demanda, o que chamamos de depósitos bancários, ou contas-correntes.

Com esse arranjo, o cliente não precisa transferir a cédula a quem transaciona com ele; basta escrever uma ordem para que seu banco transfira uma porção da sua conta para outra pessoa. Essa ordem por escrito é chamada de cheque. Até este momento, a oferta monetária não sofreu aumento algum em decorrência do uso de substitutos monetários; as contas-correntes ou as cédulas bancárias são meros substitutos ao dinheiro físico depositado no banco, no caso, o ouro. Os substitutos de dinheiro têm 100% de lastro. Poderíamos dizer que toda a massa monetária se plasma em dinheiro material, tangível, isto é, em metal precioso depositado no banco, ainda que parte dele circule por meio de cédulas bancárias ou ordens de movimentação de conta-corrente via cheque.

A questão é distinta, contudo, quando os bancos – constatando que nem todos os depositantes exigem o resgate dos depósitos em espécie – passam a operar com reservas fracionárias, violando os princípios gerais do direito, mantendo em custódia apenas uma fração do dinheiro físico que lhes foi depositado e emprestando o restante. Nesse arranjo, um banco pode simplesmente criar dinheiro do nada, ao expandir o crédito por um mero registro contábil, creditando "depósito à vista" do lado do passivo e debitando "empréstimo" do lado do ativo. Economicamente, os depósitos à vista desempenham a mesma função que um dinheiro material. Esse novo depósito à vista criado do nada é o que denominamos de moeda bancária ou escritural[85] [86].

Alcançamos agora o ponto exato a que precisávamos chegar. Descrevemos a evolução do dinheiro e do sistema bancário até o surgimento das reservas fracionárias e a criação do nada de depósitos à vista – note que ainda não introduzimos o surgimento dos bancos centrais e do sistema monetário atual de papel-moeda fiduciário; trataremos do atual arranjo mais adiante. Como dito acima, os depósitos à vista criados do nada, que desempenham perfeitamente a função de dinheiro e como tal são usados pelos indivíduos em suas transações, são também chamados de moeda bancária ou escritural. O problema com o primeiro termo, moeda bancária, é que ele ofusca a natureza dessa moeda, omitindo suas propriedades físico-químicas. Nas línguas latinas, esse mesmo termo é o mais comumente usado: *dinero bancário*, em espanhol; *monnaie bancaire*, em francês; e *moneta bancaria*, em italiano. No mundo anglo-saxão, *bank money* é o termo de preferência, enquanto no alemão usa-se *Bankgeld*. Nenhum desses termos transmite o real significado da moeda bancária.

Já no português, o termo moeda escritural é bastante difundido e é o que melhor representa a natureza dessa moeda. Como o próprio nome indica, moeda escritural é uma moeda que não existe materialmente senão nos livros de contabilidade do banco; existe apenas na forma *escrita*. E por que isso é importante para o nosso estudo do Bitcoin? Primeiro, por-

85 Não discorreremos em detalhe sobre todos os efeitos do sistema de reserva fracionária. Para uma breve introdução, ver capítulo anterior ou, para aqueles que desejam aprofundar-se no tema, ver HUERTA DE SOTO, Jesús. Moeda, crédito bancário e ciclos econômicos. São Paulo: Instituto Ludwig von Mises Brasil, 2012.

86 A moeda bancária faz parte dos chamados "meios fiduciários". Seguindo a definição de Mises, "meio fiduciário é todo substituto perfeito de dinheiro (depósitos, cédulas de banco, etc.) não respaldado por dinheiro mercadoria". MISES, 2010.

que isso demonstra que uma moeda intangível já existia[87] muito antes de uma moeda digital ser concebida pela mente humana, e, por fim, porque a existência de um bem intangível servindo como dinheiro jamais foi um empecilho para que indivíduos o usassem durante séculos.

Avançando até o presente, quando pensamos em dinheiro, normalmente o relacionamos a algo físico, material, como as cédulas em papel que carregamos na carteira ou as moedas metálicas de cobre. Mas também pensamos em todos os depósitos bancários de nossa propriedade, depósitos à vista e a prazo e poupança. Os dígitos de nossas contas bancárias são a moeda escritural moderna; a moeda escritural de hoje é, quase em sua totalidade, puramente digital. Um dos fatores que distinguem a ordem monetária e bancária moderna da de séculos passados é a presença de um banco central. O monopólio de emissão de moeda física (cédulas e moedas metálicas) é, normalmente, concedido pelos governos a esse órgão, o qual cria não somente moeda física, como também moeda escritural – na forma de reservas bancárias dos bancos. Da mesma forma, os bancos também têm a capacidade *de jure* e *de facto* de criar moeda escritural, mas a criação de moeda física lhes é vedada por lei. A capacidade de criação de moeda escritural pelos bancos, porém, não é ilimitada, sendo o banco central o ente responsável por controlar e coordenar – e até mesmo encorajar – a quantidade de moeda escritural passível de criação pelo sistema bancário.

Todavia, e ainda que esse arranjo seja verdadeiro, poder-se-ia indagar sobre a relevância da moeda escritural (intangível) atualmente. Pois bem, analisando os dados dos respectivos bancos centrais para mensurar a preponderância do dinheiro intangível no mundo moderno, constatamos que, na principal economia do planeta, a dos Estados Unidos, a moeda escritural representa mais de 55% do dinheiro em circulação. No Brasil essa relação é de 52%. Enquanto isso, nos países da Zona do Euro, no Japão, na Suíça e na China, a moeda escritural responde por mais de 80% de toda a massa monetária. No Reino Unido, a moeda física não alcança nem 5% de todo o dinheiro em circulação[88].

Resta claro que a intangibilidade da moeda não é uma particularidade do Bitcoin. É, na verdade, uma característica marcante do sistema monetário desde o instante em que a moeda escritural foi criada do nada pela prática das reservas fracionárias. A intangibilidade da moeda é milenar. A escassez da moeda escritural, no entanto, sempre esteve sujeita ao controle

87 Os primeiros indícios da prática de reserva fracionária remontam à Grécia Antiga. Ver capítulo II, HUERTA DE SOTO, 2012.

88 Usando os dados mais recentes, na data de 29 de novembro de 2013, a relação foi calculada dividindo os depósitos à vista contidos no agregado monetário M1 pelo próprio M1 (papel-moeda + depósitos à vista = M1).

de terceiros, bancos e bancos centrais. Com a criação do Bitcoin, essa vulnerabilidade foi sanada. E isso faz toda a diferença.

Do dinheiro commodity material (gado, sal, ouro ou prata), o mundo evoluiu ao papel-moeda e à moeda escritural. A intangibilidade desta permitiu aos bancos a criação quase ilimitada de moeda, corroendo continuamente o poder de compra do dinheiro que usamos. A intangibilidade do Bitcoin, por outro lado, propiciou justamente o oposto; assegurou a escassez da moeda, a fim de preservar – e não corroer – o seu poder de compra. Da intangibilidade do Bitcoin, também é possível evoluir – ou materializar – ao dinheiro físico. Alguns empresários, ávidos por satisfazer a demanda de alguns usuários, já criaram moedas físicas lastreadas em unidades monetárias de bitcoin[89]. Certamente, outras formas de moeda física com lastro em bitcoins surgirão no mercado.

4. Dinheiro, meio de troca ou o quê?

Poderíamos já considerar o Bitcoin um dinheiro? Em sua tese de mestrado[90], Peter Šurda afirma que não, Bitcoin ainda não é dinheiro. Tornar-se-á algum dia. Mas ainda não o é. Seguindo uma das definições da Escola Austríaca de Economia, "Bitcoin não é um meio de troca universalmente aceito", afirma Šurda. Mas se não é dinheiro, então o que é? Seria um "meio de troca secundário" (conforme a definição de Mises em seu livro Ação Humana) ou uma quase-moeda (Rothbard, em seu livro *Man, Economy, and State*)?

Por outro lado, Graf levanta um ponto interessante: "Se dinheiro é definido como meio de troca universalmente aceito, então temos que qualificar o *universalmente*"[91]. Porque, se dissermos que dinheiro é o meio de troca "mais" universalmente aceito, "então certamente não chamaríamos Bitcoin de dinheiro", conclui Graf, adicionando que "tampouco chamaríamos pesos mexicanos de dinheiro *dentro* dos Estados Unidos". Entramos em uma área cinzenta, sem dúvida, mas há mérito no seu ponto. Graf

89 Criadas pelo empresário americano Mike Caldwell, as moedas Casascius funcionam como uma espécie de "cartão-presente" de bitcoins. Há uma chave privada associada à moeda, que está vinculada a uma chave pública (endereço Bitcoin) e a uma quantidade determinada de bitcoins no *blockchain*. Um holograma protege a chave privada e pode ser removido para "resgatar" os bitcoins online.

90 ŠURDA, Peter. Economics of Bitcoin: is Bitcoin an alternative to fiat currencies and gold? Diploma Thesis, Wirtschaftsuniversität Wien, 2012. Disponível em: <http://dev.economicsofbitcoin.com/mastersthesis/mastersthesis-surda-2012-11-19b.pdf>. Acesso em: 15 abr. 2013.

91 GRAF, 2013.

concede que a única razão — ainda que passível de debate — para ainda não chamar Bitcoin de dinheiro reside no fato de que, "aparentemente, muitos usuários ainda enxergam os bitcoins através da lente da taxa de câmbio em relação às suas moedas locais".

Em contrapartida, Frank Shostak afirma que Bitcoin "não é uma nova forma de dinheiro que substitui formas antigas, mas na verdade uma nova forma de empregar dinheiro existente em transações. Uma vez que Bitcoin não é dinheiro de verdade, mas meramente uma nova forma diferente de empregar a moeda fiduciária existente, ele não pode substituí-la"[92].

Contrariando Shostak, Bitcoin é um novo meio de troca, sim, ainda que não universalmente aceito. Ele é o que Mises classifica como dinheiro commodity ou dinheiro mercadoria. Mas não no sentido material, tangível, como normalmente se entende, e sim no sentido de "dinheiro propriamente dito" (conforme o termo *money proper* usado por Mises em *Theory of Money and Credit*). O dinheiro propriamente dito é simplesmente o "bem econômico" usado como dinheiro, independentemente de qual bem este seja. Como esclarece Mises, "a característica decisiva de um dinheiro commodity é o emprego para fins monetários de uma commodity no sentido tecnológico... É uma questão de indiferença completa qual commodity em particular ela seja; o importante é que a commodity em questão constitua o dinheiro, e que o dinheiro é meramente essa commodity"[93].

A leitura da obra original em alemão, *Theorie des Geldes und Umlaufsmittel*, fornece mais pistas no sentido de entender que não importa qual mercadoria é usada como dinheiro; importa apenas que seja um bem econômico. Dinheiro commodity, em alemão, é "*Sachgeld*" (*sach*=coisa, *geld*=dinheiro), o que nos permite deduzir que qualquer "coisa" pode servir como dinheiro, contanto que seja usada e valorada como tal pelos indivíduos. Logo, uma unidade bitcoin, embora incorpórea, é o bem utilizado como meio de troca; o bitcoin é o próprio meio de troca, é o dinheiro propriamente dito[94] [95].

92 SHOSTAK, Frank. The Bitcoin Money Myth. Mises Daily, Auburn: Ludwig von Mises Institute, 17 abr. 2013. Disponível em: <http://mises.org/daily/6411/The-Bitcoin-Money-Myth>. Acesso em: 22 dez. 2013.

93 MISES, 1953, p. 62.

94 GRAF, 2013.

95 Retomaremos essa questão na seção 13 deste capítulo.

5. Ouro, papel-moeda ou bitcoin?

Recapitulando o caminho percorrido até aqui, descrevemos o nascimento da moeda digital e como ela em nada contraria a teoria da regressão de Ludwig Von Mises; abordamos a sua natureza intangível, bem como sua inerente escassez; e demonstramos como uma unidade bitcoin é o próprio meio de troca, ou o dinheiro propriamente dito. Vamos agora nos aprofundar um pouco mais na teoria e na prática, procurando comparar o sistema monetário atual – seja ele baseado em papel-moeda, seja baseado em ouro – com um sistema baseado em bitcoins. É preciso ressaltar, porém, que essa comparação se dá no campo conceitual e teórico, pois Bitcoin ainda não está no estágio avançado de vasta aceitação. Sua liquidez ainda é uma fração do sistema de papel-moeda fiduciária predominante no mundo todo.

Feitas as devidas ressalvas, poderíamos afirmar, então, que o Bitcoin é uma melhor alternativa ao sistema de moeda fiduciária atual ou até mesmo ao antigo padrão-ouro? Nikolay Gertchev constata que não, alegando que "não podemos ter um dinheiro que dependa de outra tecnologia (internet) e que, assim, o Bitcoin jamais atingiria o nível de universalidade e flexibilidade que o dinheiro material permite por natureza. Portanto, no livre mercado, dinheiro commodity, e presumivelmente ouro e prata, ainda têm uma vantagem comparativa"[96].

Somente podemos entender Bitcoin e contestar a crítica de Gertchev utilizando-nos da abordagem austríaca sobre a origem cataláctica do dinheiro. Em outras palavras, é entendendo que a origem do dinheiro se dá no mercado por meio de trocas voluntárias que podemos compreender a essência do fenômeno Bitcoin. Nesse sentido, faz-se necessário destacar que a introdução ou a evolução do dinheiro reduz os custos dos intercâmbios. Isto é, ao resolver o problema da dupla coincidência de desejos (tenho uma vaca, quero pão, e o padeiro quer um terno), a moeda vem a reduzir os custos envolvidos em uma simples troca de produtos. É o que os economistas chamam de "custos de transação". Da mesma forma, em um entorno de concorrência, preponderará no mercado aquela moeda que mais reduz tais custos.

96 GERTCHEV, Nikolay. The Money-ness of Bitcoins. Mises Daily, Auburn: Ludwig von Mises Institute, 4 abr. 2013. Disponível em: <http://mises.org/daily/6399/The-Moneyness-of-Bitcoins>. Acesso em: 22 dez. 2013.

Em sua tese, Šurda elenca três elementos principais que influenciam na escolha de uma moeda: liquidez, reserva de valor e custos de transação. No momento, liquidez é a maior desvantagem do Bitcoin em relação às demais moedas, por não ser amplamente utilizado – ainda que cada vez mais pessoas e empresas aceitam transacionar com a moeda.

No quesito reserva de valor, a sua escassez relativa, por sua vez derivada de sua oferta inelástica (atualmente em 12 milhões, com limite máximo de 21 milhões), permite-lhe ser considerada uma ótima alternativa na manutenção (e possivelmente elevação) do poder de compra. Ademais, por ser um meio de troca eletrônico, a moeda pode ser preservada indefinidamente – sim, dependemos da internet e da eletricidade.

É na redução dos custos de transação, porém, que entendemos as enormes vantagens e superioridade do Bitcoin. Para começar, não há fronteiras políticas à moeda digital. Você pode enviar e receber bitcoins de qualquer lugar a qualquer pessoa, esteja ela onde estiver, sem ter que ligar ao gerente do banco, assinar qualquer papel, comparecer a alguma agência bancária ou ATM. Nem mesmo precisa usar *VISA* ou *PayPal*. Você pode ter domicílio no Brasil, estar de férias em Xangai e enviar dinheiro a uma empresa na Islândia com a mesma facilidade com que envia um e-mail pelo seu iPhone. Ainda em Xangai, você pode receber em bitcoins o equivalente a quilos de prata (ou ouro, ou milhares de dólares), sem pesar um grama no seu bolso, nem mesmo precisar contar as suas cédulas ou pesar o seu metal. Tampouco precisa se preocupar em guardá-lo em algum armazém ou banco. Mais ainda, nem precisa se preocupar se seu banco guardaria de fato 100% do seu dinheiro ou acabaria usando-o para especulação em aventuras privadas.

Dessa forma, e de acordo com Šurda, é plenamente possível que, com o passar do tempo, o Bitcoin venha a superar tanto moedas fiduciárias quanto ouro e prata como meio de troca, e finalmente tornar-se dinheiro (meio de troca universalmente aceito). A questão-chave será a liquidez, que por sua vez depende da ampliação da aceitação da moeda. "Sem liquidez suficiente, Bitcoin enfrentará obstáculos significantes para evoluir a estágios mais maduros de meios de troca e, finalmente, dinheiro", conclui Šurda.

Explicado tudo isso, resta claro que a crítica de Gertchev carece de fundamento. Considerando o atual arranjo monetário de moedas fiduciárias de papel, a maior parte da massa monetária é constituída de meros dígitos eletrônicos no ciberespaço, dígitos estes criados, controlados e monitorados pelo vasto sistema bancário sob a supervisão de um banco central. Dinheiro material ou físico é utilizado apenas em pequenas compras do dia a dia. O cerne do nosso sistema monetário *já* é digital e intangível.

Sei que Gertchev não julga esse arranjo como desejável, afinal de contas, não há lastro algum além dos PhDs que controlam a impressora de dinheiro. Mas mesmo em um sistema monetário lastreado 100% em um dinheiro material ou commodity, como o ouro, não escaparíamos do mundo virtual e eletrônico. Afinal de contas, carregar ouro (ou prata) por todo lugar não é nada eficiente, além de ser altamente perigoso em um país como o Brasil. Dessa forma, embora reconheça o mérito de um sistema monetário baseado no ouro – e efetivamente o considero como superior à alta discricionariedade atual –, jamais poderíamos prescindir do sistema bancário digital no presente estado da divisão internacional do trabalho. Um padrão-ouro sem um sistema bancário digital aliado ao uso de substitutos de dinheiro seria completamente inadequado à atual economia globalizada e interconectada.

Além disso, Gertchev parece não perceber que não é somente o atual sistema monetário que depende das tecnologias digitais e da internet, mas na verdade toda a economia globalizada e interconectada que conhecemos hoje. Bitcoin nasce nesse entorno, nasce da revolução digital e, certamente, não poderia sobreviver na ausência das tecnologias de que hoje dispomos. Tampouco poderia sobreviver a economia mundial, no estágio avançado em que se encontra, na ausência dessas mesmas tecnologias.

E não nos esqueçamos de que ouro ou papel-moeda também são formas de dinheiro que dependem de outras tecnologias. Ouro não cai do céu. Você precisa minerá-lo, cunhá-lo e transportá-lo. Quanta tecnologia e capital são necessários para desempenhar essas funções? E o que dizer dos altos custos com fretes e seguros envolvidos na movimentação de ouro de país para país, de continente a continente? Considero o metal precioso uma ótima alternativa à ordem monetária vigente, sem dúvida alguma. Mas julgo que a sua grande qualidade como meio de troca jaz na sua escassez relativa, na sua oferta inelástica. Ouro é excelente como reserva de valor, mas sem um sistema eletrônico de pagamentos, o metal seria muito pouco eficiente no quesito "transportabilidade". A grande revolução do Bitcoin é capacidade de replicar a inerente escassez relativa do ouro, mas sem incorporar a grande desvantagem do metal no que tange ao manuseio e transporte, especialmente em longas distâncias.

Outra vantagem sem precedentes reside em uma tecnicalidade, à primeira vista trivial, mas de implicações extraordinárias. Primeiro, você não depende do sistema bancário no mundo dos bitcoins. Você é seu próprio banco. E isso não é tudo. Devido às regras e à criptografia empregada, é impossível duas pessoas gastarem a mesma moeda digital (gasto duplo). Isso quer dizer que somente uma pessoa detém o direito de propriedade de uma unidade monetária e somente essa pessoa a controla. E isso ainda não é tudo. No mundo atual de papel-moeda fiduciária, os dígitos da sua conta bancária são substitutos de dinheiro físico (cédulas e moedas metálicas). O dinheiro propriamente dito é o papel-moeda. Ou melhor, uma fração dos seus depósitos é dinheiro físico.

No caso do Bitcoin, a unidade monetária (1 BTC) é o próprio equivalente ao dinheiro físico atual, ele é o próprio bem monetário. E é nesse ponto que surge algo de consequências singulares. Substitutos de dinheiro emergem somente quando oferecem uma redução nos custos de transação. Isso quer dizer que os substitutos de dinheiro serão demandados quando proporcionarem ao usuário algo que o dinheiro próprio (dinheiro commodity) não é capaz de oferecer. Pela sua natureza e propriedades digitais, os bitcoins já propiciam muitos dos serviços normalmente restritos aos substitutos de dinheiro. Seus custos de transação são suficientemente reduzidos, tornando altamente improvável o surgimento desses substitutos. Logo, e de uma só vez, o Bitcoin não só tem o potencial de tornar o sistema bancário em grande parte irrelevante e obsoleto, como também reduz substancialmente a probabilidade do aparecimento das reservas fracionárias[97] e, portanto, a expansão artificial de crédito, evitando assim a formação de ciclos econômicos.

A grande sacada do Bitcoin, talvez uma de suas maiores vantagens, é que a moeda digital dispensa o intermediário, o "terceiro" na transação. É um sistema *peer-to-peer*. Não é necessário confiar em um banco que guardará seu dinheiro. Você tampouco precisa assegurar-se de que uma empresa de liquidação de pagamentos processará corretamente o seu pedido. Acima de tudo, você não precisa rezar para que um banco central não deprecie a moeda. "Um ponto comum nos atributos avançados do Bitcoin é a reduzida necessidade de confiança no fator humano," observa Šurda; "a confiança é substituída por comprovação matemática". É a criptografia moderna garantindo a solidez da moeda.

Ademais, o caráter dual do método de pagamentos pode ser visto como a combinação das características do dinheiro (commodity) com o sistema de liquidação (serviço). "Enquanto a commodity oferece uma oferta estável e controle físico, o serviço permite baixos custos de transação, serviços de liquidação e registros históricos", conclui Šurda; "antes do Bitcoin, essas duas funções estavam separadas". Logicamente, ainda não estamos nesse estágio avançado do Bitcoin, porque sua liquidez ainda é baixa e ainda dependemos bastante das "casas de câmbio" – os pontos de contato

97 MATONIS, Jon. How Cryptocurrencies Could Upend Banks' Monetary Role. The Monetary Future, 15 mar. 2013. Disponível em: <http://themonetaryfuture.blogspot.com.br/2013/03/how--cryptocurrencies-could-upend-banks.html>. Acesso em: 22 dez. 2013.

entre a rede Bitcoin e o mundo de moedas fiduciárias. Mas o sistema permite que esse ideal seja alcançado.

Por todos esses motivos, pode-se dizer que o Bitcoin é o arranjo monetário que mais se aproxima daquele idealizado pelos economistas da Escola Austríaca. Como muito bem destaca Šurda, "É, historicamente, a primeira oportunidade de se atingir a mudança e a manutenção de uma oferta monetária inelástica sem reformas legais e sem precisar endereçar as reservas fracionárias".

Por fim, comparemos os diversos atributos monetários do ouro, do papel-moeda e do Bitcoin. No quesito durabilidade, Bitcoin supera tanto o ouro quanto o papel-moeda – salvo no improvável caso de a internet inexistir no globo terrestre. Bens digitais como um bitcoin não sofrem alteração espacial ou temporal. No entanto, uma barra de ouro está sujeita ao desgaste natural do uso, perdendo massa ao longo do tempo. Já o papel-moeda é bastante frágil, podendo ser destruído facilmente. Embora seja verdade que, enquanto na forma de substitutos de dinheiro em contas-correntes eletrônicas, o papel-moeda é tão durável quanto o Bitcoin.

No que tange à divisibilidade, há um limite físico pelo qual o ouro pode ser fracionado, o que não ocorre com o papel-moeda – qualquer denominação pode ser impressa em uma cédula. O Bitcoin, porém, é perfeitamente divisível, com oito casas decimais e possibilidade de adicionar quantas mais forem necessárias.

Ambas as formas de moeda tangível, ouro e papel-moeda, são bastante maleáveis, o que é irrelevante ao Bitcoin, por ser um bem essencialmente incorpóreo.

O Bitcoin é, então, durável e perfeitamente divisível, embora incorpóreo. Ademais, um bitcoin é insuperavelmente uniforme, porque sua homogeneidade é matemática (por definição) e não física (não depende de medições empíricas relativas a um padrão)[98], sendo tecnicamente impossível falsificá-lo. O ouro, ao contrário, depende de verificações e comprovações quanto a sua pureza e massa. Já o papel-moeda, embora seja bastante homogêneo, pode ser mais facilmente falsificado, dificultando a distinção de unidades monetárias genuínas das ilegítimas.

É na sua escassez relativa, contudo – intrínseca, autêntica e intangível –, que o Bitcoin se sobressai quando contrastado com o metal precioso e com as moedas de papel. Assegurada por meio da criptografia e da ausência de tercei-

98 GRAF, 2013.

ros fiduciários capazes de aumentar a oferta monetária por meio da emissão de substitutos de moeda, a oferta inelástica de bitcoins é parte inseparável do seu protocolo. Ainda que o ouro também seja naturalmente escasso, seu emprego monetário depende em larga medida de um sistema bancário e de liquidação, tornando provável o aparecimento de substitutos de dinheiro não lastreados no metal, enfraquecendo a sua natural escassez. Não obstante, a oferta inelástica do ouro – ora contornada pela emissão de substitutos monetários – é muito superior à ilimitada capacidade de impressão de papel-moeda pelos bancos centrais, capacidade essa potencializada pela introdução dos meios eletrônicos na criação de moeda escritural, seja pelos bancos, seja pela autoridade monetária, e operacionalizada de forma discricionária e, frequentemente, por decisão política.

E, finalmente, o Bitcoin reúne em um mesmo sistema serviços comumente providos por uma quantidade enorme de intermediários, como bancos, casas de liquidação, bancos centrais, entidades interbancárias internacionais, etc., enquanto um sistema monetário baseado no ouro ou em papel-moeda jamais poderia dispensar tais terceiros fiduciários.

Na tabela abaixo, podemos visualizar de forma resumida os atributos de cada um dos sistemas monetários analisados:

Atributos	Ouro	Papel-moeda	Bitcoin
1. Durabilidade	Alta	Baixa	Perfeita
2. Divisibilidade	Média	Alta	Perfeita
3. Maleabilidade	Alta	Alta	Incorpóreo
4. Homogeneidade	Média	Alta	Perfeita
5. Oferta (Escassez)	Limitada pela natureza	Ilimitada e controlada politicamente	Limitada matematicamente
6. Dependência de terceiros fiduciários	Alta	Alta	Baixa ou quase nula

O Bitcoin é, simplesmente, uma forma de moeda superior a todas as demais. Incorpora a escassez relativa do ouro, aliada à instantânea transportabilidade e divisibilidade dos substitutos de dinheiro (especialmente aqueles na forma digital moderna), prescindindo de inúmeros terceiros fiduciários – como bancos, casas de liquidação e entidades interbancárias internacionais –, eliminando, assim, o risco da contraparte.

6. Deflação e aumento do poder de compra, adicionando alguns zeros

Para diversos economistas, uma grande desvantagem da moeda digital é a *deflação que o Bitcoin geraria.* Em primeiro lugar, é preciso definir os termos. Na acepção correta da palavra, deflação significa uma contração da base monetária. Ora, isso é tecnicamente impossível. A quantidade máxima de bitcoins que podem ser minerados é de 21 milhões. Mineradas todas as unidades monetárias, não há possibilidade de a base monetária diminuir ou contrair-se. O que pode acontecer é usuários perderem suas senhas e jamais poderem usar suas carteiras novamente, o que os impossibilita de acessar suas contas e transacionar. Mesmo nesse caso, os bitcoins não seriam destruídos, apenas não mais seriam utilizados. A consequência, por ficarem "fora" de circulação, seria um aumento no poder de compra do restante de bitcoins existentes.

Entretanto, costuma-se associar o termo deflação a uma queda dos preços. Infelizmente, redução de preços supõe um problema para a maioria dos economistas. À população, isso significa que seu poder de compra aumentou. Uma moeda que se aprecia ao longo do tempo com certeza não representa nenhuma ameaça à saúde de uma economia[99].

Não é o foco deste livro discorrer sobre os problemas e consequências da inflação ou deflação. Há diversas obras dedicadas ao assunto. Entretanto, por ser algo que tange à essência do Bitcoin, não podemos nos esquivar de aprofundar um pouco mais esse tema. Em termos de teoria econômica, o problema jaz em compreender se um aumento ou diminuição da quantidade de dinheiro são capazes de gerar benefícios ou malefícios à economia. Uma economia em desenvolvimento precisa de uma oferta monetária crescente? Ou o ajuste pode se dar via preço da moeda – o que significa que ela ganha poder aquisitivo? Aumentar a quantidade de dinheiro na economia, inflação, não gera nenhuma prosperidade. Não cria novos bens e serviços do nada. Apenas os torna mais caros. A inflação monetária tem um efeito redistributivo de riqueza. Aqueles que primeiro recebem o dinheiro recém-criado podem gastá-lo adquirindo produtos a preços atuais. À medida que a moeda circula pela economia, aumentando os preços dos bens e serviços, os últimos a recebê-la perceberão que seus salários não podem mais comprar a mesma quantidade de produtos que antes era possível.

---

99 REISMAN, George. Deflação, prosperidade e padrão-ouro. Instituto Ludwig von Mises Brasil, 16 ago. 2010. Disponível em: <http://mises.org.br/article.aspx?id=752>. Acesso em: 25 dez. 2013.

Inflacionar a oferta monetária, portanto, não é uma política neutra. Existem ganhadores e perdedores. E para que uma economia cresça, não há uma quantidade de dinheiro ideal. Qualquer quantidade basta[100]. Os problemas surgem quando a oferta de moeda sofre aumentos e diminuições repentinos e intensos devido às decisões políticas.

No caso do Bitcoin, a oferta crescerá de forma paulatina, pré-estabelecida e conhecida por todos os usuários até alcançar o limite máximo de 21 milhões de unidades ao redor do ano de 2140. Mas cerca de 90% de todos os bitcoins já estarão minerados por volta de 2022. Assumindo que a demanda por bitcoins continue crescendo ao longo dos próximos anos, isso significaria que uma unidade bitcoin valeria cada vez mais. E quanto mais se amplie a aceitação da moeda, maior será seu poder de compra. Em face dessa constatação, os economistas leigos em Bitcoin alegam que será quase impossível usar uma unidade de bitcoin em compras do dia a dia, pois ela valerá muito no futuro. O que lhes escapa é o fato de que os bitcoins são perfeitamente divisíveis. Cada bitcoin conta com oito casas decimais. Isso permite aos usuários realizar transações com frações de um bitcoin[101]. E se chegarmos ao estágio avançado de algum dia 0,00000001 BTC (ou 1 "satoshi", como é denominada a oitava fração de um BTC) valer tanto que seja preciso mais casas decimais? Felizmente, é possível aumentar a quantidade de casas decimais por meio do consenso entre todos os usuários da rede Bitcoin. O sistema está preparado para tal aperfeiçoamento.

Ao cidadão brasileiro, escaldado por um passado não tão distante de altas e hiperinflações, essa peculiaridade do Bitcoin equivale ao inverso do que ocorreu algumas vezes no Brasil das décadas inflacionárias: o corte de zeros. Porque o governo inflacionava tanto a moeda nacional, o Banco Central chegou ao extremo de imprimir cédulas de Cr$ 500.000 (quinhentos mil cruzeiros, em 1993). Dessa forma, tornava-se progressivamente mais difícil transacionar em denominações tão altas. Muitos brasileiros ficaram milionários, embora extremamente pobres. Pouco podiam comprar com a moeda, que perdia valor a cada hora. E a cada nova reforma monetária, vinha uma nova moeda e o corte de três zeros. De 1942 até 1993, houve cinco instâncias em que o corte de três zeros foi adotado, sendo que três delas nos últimos sete anos desse período[102]. A lógica dos cortes de zeros era retornar às denominações menores, para simplificar as contas do dia, bem como dar a impressão de que alguma reforma efetiva havia

100 Que não levemos esse argumento ao extremo; é claro que apenas um grama de ouro não serviria como oferta monetária a uma economia.

101 Neste momento (janeiro de 2014), já é necessário transacionar em frações de bitcoins, uma vez que o preço de mercado tem oscilado ao redor de 900 dólares.

102 Disponível em: <http://www.bcb.gov.br/?PADMONET>. Acesso em: 26 dez. 2013.

sido levada a cabo, quando, em realidade, as causas da inflação monetária permaneciam em pleno funcionamento.

E qual a equivalência inversa desse período brasileiro com o Bitcoin? Da mesma forma que transacionar com denominações cada vez maiores se torna um complicador adicional às atividades do cotidiano (milhão ou bilhão eram cifras de uso comum), denominações cada vez menores de bitcoin tornarão o uso da moeda um tanto complicado. Qual a solução? Adicionar três zeros à unidade monetária. Dessa forma, 1 BTC passaria a ser 1.000 BTC. Em uma hiperinflação, cortam-se zeros. Em uma hiperdeflação, adicionam-se zeros[103] – este evidencia a constante apreciação de valor; aquele, a constante perda de valor. Pelo consenso entre os usuários da rede, uma mudança como essa poderia ser efetuada no protocolo do Bitcoin. Inclusive, porque a cotação de um bitcoin já chegou a mais de 1.000 dólares, discussões nesse sentido já foram iniciadas na comunidade.

7. O PREÇO DO BITCOIN, OFERTA E DEMANDA

No dia 5 de outubro de 2009, *nove meses depois* de a rede Bitcoin ter começado a operar, o primeiro registro de preço de venda de um bitcoin ofertado foi publicado. Um total de 13 bitcoins por centavo de dólar, ou especificamente 1.309,03 bitcoins por um dólar, calculado pelo ofertante com base em seus custos variáveis de mineração.

Alguns meses depois, em maio de 2010, uma pizza foi vendida por 10 mil BTC, equivalente a 25 dólares à época. Mas, em realidade, essa não foi uma transação genuína, pois o comprador transferiu 10 mil BTC a um terceiro, que facilitou a compra por cartão de crédito na pizzaria. Ainda assim, a compra foi um registro do preço de um bitcoin então, 4 BTC por centavo de dólar. Somente em 17 de julho de 2010 ocorreu o primeiro registro de uma transação em uma casa de câmbio, a Mt.Gox, em que um bitcoin era negociado a US$ 0,05. A partir desse momento, novas transações iam sendo efetuadas, e o processo de descobrimento do preço de um bitcoin ganhou cada vez mais tração e volume[104].

---

103 O termo hiperdeflação não é correto, pois nesse caso não há uma contração abrupta da oferta monetária (o que seria o exato inverso de hiperinflação), apenas uma oferta monetária quase estática em que a demanda pela moeda cresce constante e paulatinamente ao longo do tempo. Utilizamos o termo aqui visando unicamente contrastar a ideia.

104 Para um excelente resumo da evolução dos preços do bitcoin, ver GRAF, Konrad S. On The Origins Of Bitcoin, 3 dez. 2013. Disponível em: <http://konradsgraf.squarespace.com/storage/On%20the%20Origins%20of%20Bitcoin%20Graf%2003.11.13.pdf>. Acesso em: 5 dez. 2013.

Durante o ano 2013, o preço de um bitcoin ultrapassou 1.000 dólares, sendo atualmente negociado levemente abaixo desse patamar[105]. Mas estaria o preço de um bitcoin caro ou barato? Não saberíamos dizer. E a verdade é que ninguém sabe. O ponto fundamental não é se 1 BTC vale 1.000 ou 30 dólares, mas sim que o preço de uma unidade bitcoin está acima de zero, e isso, por si só, já é surpreendente. O simples fato de a moeda digital ter um preço e estar sendo utilizada por indivíduos em intercâmbios já é um feito em si.

Estamos ainda na infância do experimento Bitcoin. A cotação de um bitcoin em relação a outras moedas, ou o seu *preço*, é algo que está sendo descoberto pelo mercado, e não podemos prever a sua evolução. E ainda que, pelo lado da demanda, não saibamos como ela evoluirá, ao menos do lado da oferta não seremos surpreendidos por súbitos aumentos na quantidade de bitcoins em circulação.

É claro que a alta volatilidade testemunhada em alguns períodos específicos ao longo dos últimos dois anos complica a vida dos usuários de bitcoins — e talvez facilite a dos especuladores —, e é por esse fator que, quanto maior o número de aderentes, mais benéfico será para o avanço da moeda digital. Mas não interpretemos esse argumento como um convite à especulação. Quanto mais indivíduos aderirem e utilizarem a moeda, maior será sua liquidez. Quanto mais liquidez, menor tende a ser a sua volatilidade e aceitação no mercado. No entanto, uma maior liquidez não necessariamente significa um *preço* maior.

Alguns afirmam tratar-se apenas de uma nova bolha que em breve estourará levando seus usuários à ruína. Será que estamos presenciando uma bolha de fato? Pode ser que o Bitcoin, sim, esteja em uma *fase* de bolha. Pode ser que não. Não sabemos. Mas uma bolha especulativa em si não é um fator preponderante para o avanço e futuro do Bitcoin. A bolha da internet no início dos anos 2000 não decretou o fim da internet, e a mania das tulipas, séculos atrás, tampouco fez a lilácea desaparecer do mercado.

De certa forma, o preço de uma unidade BTC é irrelevante. A questão-chave é que a moeda digital tem verdadeiras vantagens comparativas, oferecendo excelentes serviços de pagamentos e reduzindo de forma significativa os custos de transação. Como diz Tony Gallipi, sócio do site de pagamentos BitPay, “Bitcoin é simplesmente a maneira mais fácil até hoje inventada de enviar dinheiro de A para B”.

105 Janeiro de 2014.

8. Valor intrínseco ou propriedades intrínsecas?

A mais frequente objeção, no entanto, é outra. E, segundo aqueles que a ela recorrem, é a questão básica e fundamental: Bitcoin não tem valor intrínseco, ele não é uma "coisa". É uma unidade de uma moeda virtual não material. Não tem nenhuma condição ou formato físico, e, portanto, é descabida a noção de que possa algum dia substituir a moeda fiduciária. Esse é o núcleo do argumento de tais céticos.

O que lhes parece escapar, contudo, é que não existe *valor* intrínseco, existem *propriedades* intrínsecas (químicas e físicas). Valor é subjetivo e está na mente de cada indivíduo. "Bitcoin é o ouro digital"[106], defende Jon Matonis, conselheiro da Fundação Bitcoin, "mas em vez de depender de propriedades químicas, ele depende de propriedades matemáticas". Isso quer dizer que as propriedades do Bitcoin resultam do design do sistema, permitindo que sejam valoradas subjetivamente pelos usuários. Essa valoração é demonstrada quando indivíduos transacionam livremente com bitcoins.

Admitindo a fragilidade de seu argumento, os céticos partem para outra crítica, a de que o Bitcoin, além do seu valor de troca (ou seu valor monetário), não apresenta nenhum *valor de uso* amplamente reconhecido, ou *uso não-monetário*. Por esse motivo, raciocinam eles, a moeda digital não poderia jamais adquirir o *status* de meio de troca universalmente aceito no comércio. Isso me faz perguntar: como o ouro conseguiu emergir como dinheiro, sendo que seu principal valor de uso séculos atrás era basicamente adorno e enfeite? Sim, é claro que hoje em dia o ouro tem aplicação nos mais diversos campos (indústria, medicina, computação, etc.), mas essa demanda surgiu com relevância somente nos últimos 20 ou 30 anos. E mesmo considerando seu uso industrial, estima-se que mais de 90% da demanda por ouro derivem de seu uso monetário.

Em suma, e conforme já detalhado anteriormente, não proporcionar uma maior variedade de aplicações e uso, ou, dito de outra forma, não ter um *uso não-monetário* amplamente reconhecido não impede que o Bitcoin venha a ser um meio de troca universalmente aceito. Ao menos *a priori*, tal assertiva não pode ser considerada conclusiva.

106 Disponível em: <http://www.reddit.com/r/subredditofthedaycomments/1akod6march_19th_2013_rbitcoin_currency_of_the_future/>. Acesso em: 26 dez. 2013.

9. A FALTA DE LASTRO APARENTE NÃO É UM PROBLEMA

Semelhante à crítica de carência de valor intrínseco, a constatação de que o bitcoin é desprovido de lastro leva inúmeros economistas a taxar a moeda digital de débil e inerentemente defeituosa. A realidade é que o Bitcoin tornou evidente algo até hoje pouco compreendido: lastro não é uma necessidade teórica de uma moeda, apenas uma tecnicalidade empírica cujo principal serviço foi o de servir como restrição às práticas imprudentes de banqueiros e às investidas inflacionistas do estado no gerenciamento da moeda.

Historicamente o dinheiro escolhido pelo mercado por excelência, o ouro foi o principal ativo utilizado como lastro pelos bancos ao longo da história. Em primeiro lugar, porque os certificados de depósito, bilhetes de banco ou depósitos à vista eram meras representações da moeda propriamente dita, o ouro. Eram substitutos monetários aceitos como se a moeda fossem, devido à qualidade explícita de poderem ser convertidos em espécie quando solicitado ao banco pelo portador. Segundo, a obrigatoriedade de lastrear qualquer emissão de bilhetes ou certificados de depósito com o ouro impunha certa disciplina à prática bancária. Aqueles bancos que emitissem mais bilhetes do que ouro em custódia estariam mais facilmente sujeitos à insolvência no instante em que os clientes questionassem a presença de lastro em posse do banco e exigissem em massa o resgate em espécie.

Entretanto, com a consagração do sistema de bancos centrais nos últimos dois séculos, o lastro em ouro tomou contornos um pouco distintos. Embora fosse o ouro a moeda global durante milênios, as diferentes nações emitiam suas próprias moedas de papel dentro de suas jurisdições, vale notar, sempre lastreadas no metal precioso. Historicamente, as moedas nacionais nada mais eram do que denominações de certa massa de ouro ou prata. A "libra esterlina" inglesa, por exemplo, era a denominação originalmente dada a uma libra de prata. Quando os governos se arrogaram o monopólio de emissão da moeda, a política monetária na prática restringia-se, em certa medida, a manter a paridade entre o valor de face do bilhete de banco (emitido monopolisticamente pelo estado) e seu valor de mercado. À medida que os governos inflacionavam a oferta de bilhetes, o valor de mercado deste se depreciava, incitando os portadores a resgatar em espécie pelo valor de face, ou "resgatar ao par". Tinham início, assim, os dilemas dos monopolistas da emissão de moedas nacionais: retirar de circulação o excesso de bilhetes, buscando manter seu valor de face? Assumir a inépcia na condução das questões monetárias, desvalorizando oficialmente o valor de face dos bilhetes emitidos? Ou, o pior dos casos, suspender temporariamente a conversibilidade em espécie, em moeda propriamente dita (ouro ou prata)?

Especialmente a partir do fim do século XIX, o ouro pouco circulava na economia. Os intercâmbios no mercado davam-se, na sua maior parte, por meio dos papéis-moedas nacionais ou dos depósitos à vista com o uso de cheques. Logo, a função monetária desempenhada pelos metais preciosos nos últimos séculos foi, primordialmente, a de servir como uma âncora de valor, como um disciplinador às tentativas de inflacionar os papéis--moedas nacionais. Sob o ponto de vista do governo, portanto, nada mais lógico do que buscar remover qualquer vínculo ou lastro ao metal precioso para poder emitir moeda sem qualquer tipo de restrição[107]. Dessa forma, o ouro serviu como lastro para que tivéssemos a segurança (ou esperança) de que a oferta monetária não seria inflada pela emissão excessiva de substitutos de dinheiro, sejam cédulas, sejam depósitos à vista.

Mas façamos um experimento mental. Imaginemos que, em um sistema em que os substitutos de dinheiro (cédulas e depósitos à vista) são os meios circulantes principais e supostamente lastreados 100% em dinheiro propriamente dito (ouro, por exemplo), descobríssemos um método de garantir efetivamente que haveria, a todo instante, 100% de reservas em dinheiro para os substitutos emitidos, tornando, assim, desnecessária a prática de resgatar em espécie como forma de impor disciplina aos bancos. Nesse caso, surge a pergunta: se o ouro em custódia nos cofres dos bancos serve unicamente para restringir a expansão de meios fiduciários (substitutos de moeda sem lastro), serviria ele para alguma função no momento em que descobrirmos essa maneira perfeitamente segura de impedir expansão irrestrita de meios fiduciários?

No atual sistema de inconversibilidade absoluta dos papéis-moedas nacionais – não há qualquer lastro em ouro, o papel-moeda tornou-se a moeda propriamente dita –, a experiência de mais de quase meio século comprovou que banco central nenhum conseguiu abster-se do poder de emissão de dinheiro, depreciando as respectivas moedas nacionais em uma espécie de corrida ao fundo do poço ao longo de todos esses anos. Com o Bitcoin, o dilema da provisão da oferta monetária foi equacionado: a emissão será realizada de forma competitiva e paulatinamente, a uma taxa de crescimento preestabelecida, limitada a 21 milhões de unidades. Uma legítima escassez, intangível, e matemática e criptograficamente assegurada.

107 Fato ocorrido precisamente no dia 15 de agosto de 1971, quando Richard Nixon, então presidente dos Estados Unidos, suspendeu qualquer conversibilidade do dólar em ouro.

Qual o lastro do ouro? A escassez inerente a suas propriedades físico--químicas. Qual o lastro do papel-moeda fiduciário? A confiança de que governos não inflacionarão a moeda, apoiada em leis de curso forçado que obrigam os cidadãos a aceitar a moeda como pagamento. Qual o lastro do Bitcoin? Propriedades matemáticas que garantem uma oferta monetária, cujo aumento ocorre a um ritmo decrescente a um limite máximo e pré--sabido por todos os usuários da moeda. Após um bem ser empregado e reconhecido como moeda, seu lastro jaz na sua escassez relativa.

Mas qual a distinção-chave entre o lastro do ouro e o do Bitcoin e o lastro das moedas estatais? O lastro físico é naturalmente provido de ou pretende assegurar uma escassez de oferta, assim como o lastro matemático do Bitcoin. O lastro governamental, porém, garante unicamente uma demanda mínima, mas não uma oferta inelástica. Em outras palavras, o lastro estatal não assegura uma moeda boa, apenas que até uma moeda ruim tenha vasta aceitação no mercado.

10. A política monetária do Bitcoin

É importante entendermos a política monetária do Bitcoin, especialmente em comparação às das autoridades monetárias vigentes em cada estado-nação. Mas antes de detalharmos a operação da política monetária da moeda digital, é útil compreendermos como tal política funciona na era dos bancos centrais.

As autoridades monetárias ao redor do mundo, desde o primeiro banco central do planeta – o Riksbank, da Suécia, em 1668 – até o presente, introduziram, testaram e aprimoraram diversas ferramentas e estratégias distintas na condução de suas responsabilidades e funções. A política monetária atual, na forma como é realizada, pouco se assemelha àquela dos primórdios dos bancos centrais. O resultado prático de todas as ferramentas empregadas para efeito de política monetária, no entanto, é basicamente o de manipular a oferta de moeda na economia.

O aprimoramento da prática moderna do banco central deu-se especialmente durante a segunda metade do século XX. Após o fim da conversibilidade do dólar em ouro – o que também significou o fim da conversibilidade de qualquer moeda nacional em ouro –, os bancos centrais estavam livres das restrições impostas pelo lastro no metal precioso. Isso teve implicações importantes. Desprovida da âncora do ouro, a autoridade monetária perde uma forte referência de controle da oferta de moeda –

quando se emite moeda nacional em excesso, o ouro tende a fluir para fora do país, forçando o banco central a adotar uma política contracionista da oferta monetária. Por outro lado, a ausência da âncora significou que os bancos centrais estavam agora livres para inflar a oferta de papel-moeda ilimitadamente. Mas qual aumento seria razoável? Que efeitos teria em uma economia um incremento de 5% anual na quantidade de moeda em circulação? Quais partes da oferta monetária deveriam ser alvo da política do banco central: papel-moeda, reservas bancárias, depósitos à vista? Como controlar a criação de moeda pelo sistema bancário? Para o bem ou para o mal, o fim do padrão-ouro deu início à era da liberdade e discricionariedade dos banqueiros centrais.

Diante de tantos dilemas, a era moderna dos bancos centrais é notória por estar assentada em um processo explícito[108] de tentativa e erro. Em geral, a política monetária logo após o fim de Bretton Woods tinha como meta um crescimento específico da oferta monetária. Obviamente, o percentual definido e os agregados monetários sujeitos à meta eram decididos arbitrariamente. Nesse arranjo, a taxa de juros era consequência e não alvo da política monetária. Entretanto, a turbulenta década de 70 e as crises financeiras da de 80 obrigaram as autoridades monetárias a rever seu ferramental. O fim do século marcou, então, o período da política monetária de taxa de juros, em que a variável era alvo direto das ações do banco central, estabelecendo-a como meta, sendo o crescimento da oferta monetária mero produto da política de juros.

O dilema atual é como calibrar a taxa de juros de modo a fomentar uma atividade econômica estável e sustentável. Para levar a cabo tal empreitada, o ferramental acessório é vasto, e vai desde o nível do compulsório e operações de mercado aberto até as diversas regulações emitidas pela autoridade monetária de cada país. Resumidamente, e o que nos interessa neste contexto, a política monetária objetiva manipular a oferta de moeda em uma economia. No passado, deu-se de forma direta, com alvos específicos para o crescimento de algum agregado monetário. Atualmente, a manipulação da oferta monetária ocorre indiretamente, pela influência direta sobre a taxa de juros.

A política monetária do Bitcoin, por sua vez, foi estabelecida na sua criação e pode ser definida como uma política monetária baseada em regras[109], cuja independência é assegurada pela natureza distribuída da

108 Ex-presidente do Federal Reserve Ben Bernanke, durante discurso em Jackson Hole, Wyoming, EUA, declarou que, desde o início da crise de 2008, "os banqueiros centrais estão no processo de aprendendo com a prática". Ver BERNANKE, Ben, Monetary Policy since the Onset of the Crisis, Federal Reserve, 31 ago. 2012. Disponível em: < http://www.federalreserve.gov/newsevents/speech/bernanke20120831a.htm>. Acesso em: 27 dez. 2013.

109 PIERRE. The Bitcoin Central Bank's Perfect Monetary Policy. The Mises Circle, 15 dez. 2013.

rede subjacente. Essa política monetária não discricionária pode ser mais bem descrita como "meta de oferta monetária assintótica"[110] (MOMA). A unidade monetária chama-se bitcoin, e sua emissão ocorre por meio de subcontratados chamados de mineradores, os quais desempenham os cálculos de Prova de Esforço (PoE, ou *Proof-of-Work, PoW*), que garantem a independência da política monetária e processam os pagamentos. "A senhoriagem subsidia o sistema de pagamento ao invés de beneficiar exclusivamente o emissor ou o vendedor/receptor de títulos negociados em operações de mercado aberto. A senhoriagem da PoE e a MOMA trabalham de forma sinérgica causando três fenômenos monetários" [111]: i) agentes econômicos racionais mantêm encaixe em bitcoins mesmo não tendo nenhum passivo denominado em bitcoins; ii) o mercado estabelece as taxas de câmbio e de juros, sem exceção; e iii) é altamente improvável o aparecimento das reservas fracionárias.[112]

Os agentes econômicos decidem livremente manter saldos em bitcoins devido a todas as vantagens da moeda digital perante outras formas de dinheiro e à expectativa de que essas vantagens conduzirão outros agentes a adotar bitcoins no futuro, possivelmente apreciando sua taxa de câmbio.

Sob a perspectiva da Trindade Impossível[113], foi estabelecido para o Bitcoin uma política monetária independente e liberdade total nos fluxos de capitais. Nenhuma entidade intervém em ciclos de alta e apreciação especulativa de modo a estabilizar a taxa de câmbio. A independência é assegurada, propiciando aos agentes econômicos uma perfeita previsibilidade da oferta monetária futura. Como explicado previamente, o limite máximo de 21 milhões é desimportante, uma vez que há perfeita divisibilidade das unidades monetárias de bitcoins. Qualquer ajuste necessário será refletido pelo mercado na taxa de câmbio. E, finalmente, assim como o ouro, o bitcoin não é passivo de nenhuma instituição; é um ativo sem risco de contraparte.

Disponível em: <http://themisescircle.org/blog/2013/12/15/the-bitcoin-central-banks-perfect-monetary-policy/>. Acesso em: 27 dez. 2013.

110 O adjetivo assintótico deriva de "assíntota", que em geometria significa uma reta que é tangente de uma curva no infinito, ou seja, que, prolongada indefinidamente, se aproxima cada vez mais do ponto de tangência de uma curva, mas sem jamais encontrá-lo. Ou, dito de outra forma, que se aproxima de um limite, porém, nunca o alcança.

111 Ibid.

112 Ver próxima seção, sobre possibilidade de reservas fracionárias no Bitcoin.

113 A Trindade Impossível é um dilema em economia internacional que afirma que é impossível uma autoridade monetária adotar as três seguintes políticas simultaneamente: câmbio fixo, liberdade no fluxo de capitais e uma política de juros independente.

11. As reservas fracionárias, o *tantundem* e o Bitcoin

Sob a perspectiva econômica, a probabilidade de aparecimento das reservas fracionárias no sistema Bitcoin é bastante reduzida. Porque o Bitcoin oferece aos usuários as vantagens tecnológicas tanto do dinheiro commodity propriamente dito quanto de um substituto de dinheiro (como certificados de depósitos, os precursores do papel-moeda), o aparecimento de um substituto de uma unidade monetária de bitcoin seria, até certo ponto, redundante.

Historicamente, o substituto de dinheiro surgiu como uma forma de reduzir os custos de transação, permitindo um uso mais eficiente do dinheiro, usos que com o dinheiro commodity em si não seriam possíveis. O sistema Bitcoin sobressai-se justamente nesse ponto, pois a base monetária bitcoin em si já propicia uma redução substancial dos custos de transação quando comparada aos sistemas monetários atuais. Como explicado anteriormente, o Bitcoin é ao mesmo tempo uma moeda e um sistema de pagamentos, algo sem precedentes na história monetária. Mas seria possível conceber a prática de reservas fracionárias com bitcoins? Sim, é possível. Para entendermos como, é preciso ir ao básico ou à origem da atividade bancária: o depósito de dinheiro.

Os bancos surgiram para suprir uma necessidade de mercado, o serviço de custódia de bens monetários. Com o aperfeiçoamento da prática bancária, eles passaram a oferecer não somente o serviço de custódia, mas também de intermediação financeira e de facilidade de pagamentos. É no desenvolvimento do serviço de custódia, contudo, que graves consequências se sucedem. A custódia de dinheiro requer um contrato de depósito entre banco e depositante em que este deposita *bens fungíveis* para que o banco os guarde, os custodie e os restitua a qualquer momento quando solicitado pelo depositante[114]. Em troca, ao depositante é entregue um certificado de depósito que lhe dá o direito de exigir a restituição do depósito a qualquer momento. Entretanto, ao tratar-se de bens fungíveis, não é obrigatório que o banco restitua o cliente com as *mesmas moedas ou barras de metal* precioso que lhe foram depositadas; basta entregar ao depositante uma quantidade equivalente em gênero e qualidade, ou *tantundem*, em latim.

114 HUERTA DE SOTO, 2012, p. 11.

Com o desenvolvimento da prática bancária, os certificados de depósitos evoluíram a bilhetes de banco – bastava o portador apresentar o bilhete no caixa para ter restituído seu dinheiro em espécie –, os quais passaram a circular como se o próprio dinheiro fosse. Os bancos logo perceberam que os depositantes raramente resgatavam seus depósitos, preferindo, em vez disso, transacionar somente com os bilhetes (substitutos de dinheiro), pela praticidade e facilidade de manuseio. Diante dessa constatação, não tardou muito para que as instituições bancárias cometessem um grave delito, o de emitir bilhetes sem lastro algum em dinheiro material. Iniciava assim a prática das reservas fracionárias, em que havia mais bilhetes em circulação emitidos pelos bancos do que dinheiro material em custódia para a pronta restituição de quem assim demandasse[115]. Dessa forma, quando a confiança em alguma instituição depositária fosse abalada e os depositantes se dirigissem em massa para solicitar o resgate em espécie de seus bilhetes – a notória corrida bancária –, o banco estaria simplesmente insolvente; não poderia jamais entregar dinheiro material a todos os demandantes portadores de bilhetes. Não haveria *tantundem* suficiente em custódia.

Os registros da prática de reservas fracionárias ao longo da história são milenares, mas seu ápice foi atingido somente no século passado, com a anuência e auxílio dos bancos centrais. Hoje em dia, a prática não somente é regra do sistema bancário em escala global, como também é respaldada por lei[116].

E como o Bitcoin difere desse arranjo? Em primeiro lugar, quando temos o cliente Bitcoin instalado e rodando em nosso computador pessoal, não há um contrato de depósito entre proprietário de bitcoins e um banco ou casa de custódia. Você é seu próprio banco. Você custodia o seu próprio *tantundem*. Logo, a posse dos bitcoins está a todo o instante com o dono da carteira (equivalente à conta bancária tradicional). Igualmente, ao proprietário, há disponibilidade completa e irrestrita dos bitcoins. Você pode transferi-los a quem desejar a todo instante sem que nenhuma entidade o impeça de fazê-lo.

Mas é claro que, se dependermos exclusivamente do software em um computador pessoal, o uso do Bitcoin seria bastante reduzido. Para suprir essa necessidade, já foram criados serviços de carteira online, como o da empresa *blockchain.info*, em que podemos usar um smartphone ou equipamento portátil similar para efetuar transações. Ainda que à primeira vista

---

115 Entre os economistas da Escola Austríaca, há um vigoroso debate quanto à alegação de as reservas fracionárias constituírem ou não uma fraude legal. Para o propósito do presente livro, essa discussão é desimportante.

116 Ver capítulo II.

tenhamos a impressão de que isso constitui um serviço de custódia similar ao oferecido pelo sistema bancário tradicional, há uma grande distinção. Nos serviços de carteira online como o exemplificado acima, o provedor não custodia os seus bitcoins. Na verdade, você permanece sendo o único agente a ter posse, controle e uso irrestrito dos seus bitcoins. Da forma como é configurado esse serviço, o provedor proporciona ao usuário a capacidade de utilizar a rede Bitcoin por meio da web, transacionando normalmente como se tivesse o próprio software instalado no computador. Não há transferência de propriedade dos bitcoins do dono da carteira ao provedor de serviço de carteira online; este tampouco pode visualizar os saldos da carteira do usuário, não pode realizar transações em seu nome, não pode confiscar a sua carteira e nem mesmo pode forçá-lo a utilizar o serviço de carteira online indefinidamente[117].

Portanto, nas duas formas de custódia dos bitcoins acima descritas, pelo software Bitcoin instalado em um PC e pelo serviço de carteira online, não há um terceiro custodiando os bitcoins do proprietário. Assim, o surgimento de um substituto de bitcoin é redundante, pois as facilidades que um substituto poderia oferecer já estão incorporadas no bitcoin na sua forma mais primitiva. E a prática de reservas fracionárias seria uma impossibilidade técnica: o depositante e o depositário confundem-se; são a mesma entidade, o próprio usuário. Como poderia o dono da carteira criar substitutos de bitcoins sem lastro e transacioná-los na rede? Seria o equivalente à falsificação de bitcoins, o que é criptograficamente impossível.

Entretanto, há serviços de carteira online em que a transferência de posse e controle da carteira ocorre, sim, como é muito comum em casas de câmbio[118], ou sites que ofereçam pagamento de juros aos saldos de bitcoins lá depositados. Nesses casos, a possibilidade de surgimento de um substituto de bitcoin, ou pior, de reservas fracionárias, é maior, uma vez que o usuário do serviço não possui nem controla efetivamente a sua carteira na rede Bitcoin. Quem o faz é o provedor, em seu nome, normalmente seguindo ordens do usuário. Logo, o risco da contraparte está presente – seja de práticas ilegais, como uso indevido do seu saldo de bitcoin, seja de práticas questionáveis, como reservas fracionárias, seja de práticas insuficientes de segurança, sujeitando os usuários a ataques de *hackers* aos servidores do provedor. Grande parte dos episódios infelizes de extravio de bitcoins deve-se a este último caso.

---

117 As chaves privadas são guardadas pelo *browser* do usuário, e não pelos servidores do provedor de serviço. Para entender a tecnologia envolvida que possibilita tal façanha, ver site da empresa Blockchain. Disponível em: <https://blockchain.info/pt/wallet/how-it-works>. Acesso em: 27 dez. 2013.

118 Nesses casos, a chave privada fica em posse e controle do provedor de serviço, ainda que esteja associada a um usuário devidamente logado e registrado no site do provedor.

O aparecimento da prática de reservas fracionárias com bitcoins é, portanto, bastante improvável, embora possível. Nas formas mais primitivas, o *tantundem* está a todo o instante sob posse e controle do próprio dono da carteira. Este é depositante e depositário. Mas enquanto houver serviços de carteira online em que o controle e a posse dos bitcoins são cedidos ao provedor, o risco das reservas fracionárias existe[119].

12. Outras considerações

Trataremos aqui de mais algumas preocupações frequentemente levantadas pelos críticos do Bitcoin, buscando demonstrar que carecem de fundamento, por não compreenderem a essência da moeda digital.

Eletricidade e internet não são o problema.

E quanto à dependência da eletricidade e da internet? Não seria uma enorme desvantagem ao projeto Bitcoin? Essa não é uma característica unicamente restrita ao Bitcoin, *já* vivemos nessa *dependência*. É impensável que nossa economia globalizada e interconectada – bem como o sistema bancário – possa seguir inabalada na falta de energia elétrica e internet. Nesse sentido, e já endereçando outra crítica usual, acho pouco provável que governos tentem "derrubar" a internet com o objetivo de obstruir a rede Bitcoin. Aliás, considerando que governo nenhum até hoje logrou conter nenhuma rede BitTorrent[120], não me parece plausível esperar que conseguiriam causar danos irreparáveis ao maior projeto de computação distribuída do mundo (sim, Bitcoin já ultrapassou o projeto SETI, *Search for Extra Terrestrial Intelligence*).

Outros céticos argumentam que a rede poderia ser *hackeada*, corrompendo o algoritmo, alterando saldos em carteira e roubando ou falsificando bitcoins. Essa preocupação – embora compreensível – deriva do desconhecimento acerca dos atributos da rede Bitcoin. Antes de qualquer coisa, é preciso enfatizar duas inerentes características da rede: a total abertura

119 No início de fevereiro de 2014, clientes da casa de câmbio Mt.Gox vivenciaram possivelmente esse problema. Com enormes dificuldades técnicas para honrar as retiradas de bitcoins solicitas pelos depositantes, a empresa suspendeu temporariamente todo e qualquer resgate da moeda digital. Até o momento da impressão deste livro, o caso permanecia pendente de resolução.
120 Goldmoney Podcast. Disponível em: <http://www.goldmoney.com/podcast/jon-matonis-on-bitcoin-and-crypto-currencies.html>. Acesso em: 20 mai. 2013.

e a transparência do sistema. Ainda que o Bitcoin tenha sido criado por um indivíduo (ou grupo de indivíduos) com certos parâmetros e regras de funcionamento, *o código fonte é completamente aberto a qualquer um* que queira verificá-lo, monitorá-lo e aprimorá-lo (este último, com o consenso de toda a comunidade). Qualquer pessoa pode acompanhar em tempo real as transações recentes, a quantidade total de bitcoins minerados, etc.

Estaríamos sugerindo que a rede Bitcoin é à prova de falhas? É lógico que não. O Bitcoin não é perfeito, e é pouco provável que não sofra alguns solavancos ao longo do seu desenvolvimento e à medida que o seu uso seja ampliado. Ainda assim, é preciso destacar que não há registro algum de ataques[121] à cadeia de blocos do sistema *(blockchain)*. Sim, é verdade que alguns sites de casas de câmbio, por exemplo, foram *hackeados* e tiveram problemas de operação, mas isso não quer dizer que a "moeda bitcoin" esteve sob ataque[122].

A concorrência das altcoins (alternate coins)

Da mesma forma, é preciso endereçar algumas das objeções mais complexas, especialmente aquelas lançadas por economistas e investidores com formidável domínio de teoria monetária. Doug Casey[123], por exemplo, alega que uma das ameaças ao Bitcoin é que não há barreiras de entradas; dessa forma, qualquer um poderia lançar sua própria moeda digital no mercado. Acabaríamos tendo, assim, diversas moedas digitais, o que inviabilizaria que uma preponderasse e viesse a tornar-se um meio de troca universalmente aceito.

Em tese, esse não é um problema exclusivo do Bitcoin. Em qualquer ambiente em que prevaleça a liberdade de escolha de moeda, qualquer um pode competir. No entanto, nessa competição, aquele meio de troca que tenha mais êxito em reduzir os custos de transação tende a sobressair-se como o mais utilizado pelos participantes. Com relação ao Bitcoin, por ter sido a primeira moeda digital, ele goza do privilégio do chamado "efeito de rede" (*network effect*). Dentro do universo de moedas digitais, Bitcoin já é a mais utilizada e com mais aderentes, portanto, ainda que uma nova moeda possa superá-la em qualidade tecnológica, a barreira de convencer usuários de Bitcoin a trocar para um concorrente é bastante grande.

---

121 Disponível em: <https://en.bitcoin.it/wiki/myths#Bitcoin_was_hacked>. Acesso em: 10 nov. 2013.

122 Seria como afirmar que o real foi atacado porque alguns bandidos roubaram o cofre da agência da Av. Paulista do Banco do Brasil.

123 DUNCAN, Andy. The Great Gold vs. Bitcoin Debate: Casey vs. Matonis. Lew Rockwell, 15 abr. 2013. Disponível em: <http://lewrockwell.com/orig11/duncan-a4.1.1.html>. Acesso em: 20 mai. 2013.

Converter bitcoins em dólar, eis a questão

Já Shostak[124] alega que "Bitcoin só funciona enquanto os indivíduos souberem que podem convertê-lo em moeda fiduciária". *A priori*, não podemos determinar se isso é verdade. Essa conclusão de Shostak deriva da falaciosa ideia de que o Bitcoin é nada menos que uma "nova forma de empregar a moeda fiduciária existente". Mas se entendemos que a moeda digital é moeda propriamente dita, dinheiro de fato, perceberemos que os usuários, em realidade, podem utilizar bitcoins não com o intuito de usá-los como uma mera ferramenta de meio de pagamento, mas sim para fugir (ou liberar-se) do sistema de moeda fiduciária.

Uma vez "dentro" da rede Bitcoin, o objetivo é não ter que "voltar" às moedas locais. Sim, no momento ainda não estamos nesse estágio de evolução da rede (por causa da baixa liquidez e aceitação), mas à medida que se amplia a aceitação, não será sequer necessário fazer uso das moedas fiduciárias. Uma vez que ambos os produtores e consumidores aceitarão *receber e pagar em bitcoins*, por que convertê-los em uma moeda fiduciária que perde poder de compra constantemente?

13. Revisitando a definição de moeda

Iniciamos este capítulo definindo os termos *dinheiro* e *moeda* como o meio de troca universalmente aceito, segundo a própria definição de grande parte dos economistas da Escola Austríaca. Entretanto, e divergindo dessa definição, utilizamos a palavra moeda até o momento inclusive para qualificar o Bitcoin – moeda digital –, o que pode, com razão, suscitar questionamentos. A verdade é que a noção de moeda é vaga, é imprecisa. Especialmente no mundo moderno de moedas de papel puramente fiduciárias, a definição usual pode ser incapaz de, na prática, identificar o que seja moeda em dado tempo e lugar. Afinal de contas, moeda, hoje em dia, é o que o estado estabelece como tal. Ao economista, a definição legal de moeda é insuficiente e precária para a investigação econômica. Mas diante da realidade, não podemos ignorar seus efeitos na economia. É preciso, portanto, examinar o fenômeno detalhadamente, procurando cercar os problemas e eliminar as criações artificiais empíricas que nos impedem de deduzir logicamente a verdade científica.

124 SHOSTAK, 2013.

Se moeda é o meio de troca universalmente aceito, quando uma mercadoria ultrapassa a linha divisória entre um mero meio de troca e passa a ser moeda? É possível encontrar, na prática, essa linha demarcando meios de troca de um lado e moeda de outro? Carl Menger, em sua obra *On the origins of money,* explica que "a teoria do dinheiro pressupõe necessariamente uma teoria da vendabilidade dos bens (*saleableness of goods*). Se compreendemos isso, deveremos ser capazes de entender como a vendabilidade quase ilimitada do dinheiro é apenas um caso especial – apresentando somente uma diferença de grau – de um fenômeno genérico da vida econômica – a saber, a diferença na vendabilidade de commodities em geral"[125]. O dinheiro é, portanto, o bem mais líquido em uma economia. Aquele pelo qual todos os outros bens são intercambiados. Mas um bem não emerge no mercado já sendo o mais líquido e mais demandado pelos indivíduos. Como elucida Menger, a escolha de uma mercadoria como meio de troca que acaba ganhando cada vez mais liquidez e prevalecendo como a mais líquida é um processo que acontece ao longo do tempo no mercado. Desse modo, e em um ciclo que se retroalimenta, os indivíduos tendem a trazer consigo ao mercado o bem mais líquido – a moeda – para realizar suas compras, reforçando e intensificando a vendabilidade do próprio bem em questão.

Ludwig von Mises, corroborando a teoria de Menger, afirma que "há uma tendência inevitável para que os bens menos comercializáveis (*marketable goods*) usados como meios de troca sejam um a um rejeitados até que, finalmente, uma única commodity permaneça, a qual é universalmente empregada como meio de troca; em uma palavra, moeda"[126]. E embora seja possível deduzir logicamente que a tendência é de somente um único bem preponderar como moeda, empiricamente a teoria pode não ser verificada – o que Mises deixa perfeitamente claro ao constatar que "este estágio de desenvolvimento no uso de meios de troca, o emprego exclusivo de um único bem econômico, não está ainda completamente alcançado"[127].

Se dinheiro é o meio de troca universalmente aceito, em grande parte da história monetária nem mesmo o ouro poderia ser qualificado como tal, porque a prata esteve quase sempre ao seu lado sendo empregada como meio de troca, universalmente aceita, e com uma liquidez praticamente tão alta como a do ouro – salvo casos em que soberanos legislavam contra o uso de um ou o outro metal. E por que o ouro jamais prevaleceu como

---

125 MENGER, 1892, p. 241. Na terminologia atual, "vendabilidade" seria mais bem definida como liquidez. O sentido pretendido pelo autor é precisamente o de diferentes graus de liquidez que diferentes bens apresentam.
126 MISES, 1953, p. 33.
127 Ibid.

a única moeda – estágio ainda não atingido por nenhum bem, conforme apontado por Mises? Possivelmente, dentre outras razões, porque lhe falta uma perfeita divisibilidade em face de sua substancial escassez. Isso significa que há um alto valor por unidade do metal[128]. E, é claro, há um limite físico pelo qual o metal pode ser fracionado. Devido a essa razão, a prata, mais abundante e com propriedades físico-químicas muito similares às do ouro, acabou por ser um ótimo meio de troca para compras de menor valor ao longo da história.

Diante da imprecisão conceitual de moeda, Murray N. Rothbard sugere uma forma de contornar o problema em sua obra seminal, *Man, economy and state*:

> Uma commodity que passa a ter uso generalizado como meio de troca é definida como sendo uma moeda. É evidente que, enquanto o conceito de "meio de troca" é preciso, e uma troca indireta pode ser distinguida de uma direta, o conceito de "moeda" é menos preciso. O instante em que um meio de troca passa a ter uso "comum" ou "geral" não é estritamente definível, e se um meio de troca é ou não dinheiro, somente pode ser decidido pela investigação histórica e pelo julgamento do historiador. Entretanto, visando à simplificação, e como vimos que há um grande ímpeto no mercado para um meio de troca tornar-se moeda, de agora em diante, nos referiremos a todos os meios de troca como moedas.[129]

Rothbard, na verdade, apenas evita lidar com o problema, pois o conceito de moeda permanece envolto de imprecisão. Levada ao extremo, essa definição simplificada pode conduzir-nos a conclusões claramente descabidas. Imaginemos o exemplo de um incorporador que vende um apartamento e concorda em receber como pagamento 80% do valor do imóvel em dinheiro e o restante em troca de um automóvel (dação em pagamento) – ainda que o vendedor não tenha interesse algum em utilizar o automóvel e busque desfazer-se do bem o quanto antes. Nesse caso, por ter servido como um meio de troca, poderíamos qualificar o automóvel como moeda? Claramente, não. É bastante provável que o futuro comprador do automóvel o adquirirá não para revendê-lo, mas sim para usá-lo, consumi-lo. Por mais que o automóvel possa servir como meio de troca em dada transação, seu destino principal é ser consumido, é um bem de consumo

---

128 Usando a cotação registrada ao fim de 2013, 1.202 dólares por onça Troy de ouro, um grama equivale a 38 dólares. Em termos físicos, um grama de ouro é menor do que uma unha humana. Seria inviável fazer compras do cotidiano com, por exemplo, um decigrama de ouro (3,8 dólares).

129 ROTHBARD, Murray N. Man, Economy and State with Power and Market. Auburn: Ludwig von Mises Institute, 2004. p. 192-193.

(ou produção, dependendo do usuário), e não um meio de troca[130] [131].

A teoria monetária desenvolvida pelos economistas da Escola Austríaca sustenta que há uma tendência inevitável para uma única moeda prevalecer no mercado, sendo esta a universalmente aceita. Empiricamente, essa teoria foi ilustrada por mais de 2.000 anos de história repletos de registros em que o ouro, e em menor medida a prata, imperou como a moeda escolhida pelo mercado. Essa era a realidade, inclusive, da época em que Menger e Mises desenvolveram suas teorias monetárias.

A verdade é que o dinheiro global sempre foi o ouro e a prata. Mas nem sempre eram moedas ou barras de ouro aquilo que os indivíduos davam em troca em uma transação. Especialmente com a intensificação da divisão internacional do trabalho, o aprofundamento do sistema bancário e após a Revolução Industrial, mais rara era a prática de as pessoas carregarem metais consigo. O que circulava eram as moedas nacionais – *currency*[132], em inglês –, meras representações (substitutos de dinheiro) da moeda propriamente dita, o ouro. As moedas nacionais eram, historicamente, definições de massa do metal precioso; eram as unidades monetárias de cada estado-nação.

Na língua portuguesa, não temos uma tradução exata para *currency*. Poderíamos traduzir como moeda corrente ou moeda nacional. Mas também se traduz simplesmente como moeda, da mesma forma que *money*. Posto que hoje em dia os termos realmente se confundem, é necessário ressaltar a distinção entre os dois. Uma moeda de ouro, dinheiro no sentido econômico do termo, pode receber diferentes denominações, dependendo do estado que a cunha. Tomemos o exemplo do Império Alemão. Tendo sido o *Goldmark* definido por lei a 2.790 marcos o quilo do ouro, no fim do século XIX, a moeda (peça metálica) de 5 *Goldmark* pesava aproximadamente 2 gramas e continha 1,8 grama de ouro. A *currency* (a moeda nacional) era o marco alemão, o ouro, o dinheiro propriamente dito. A forma mais primitiva de depreciar a moeda consistia em misturar algum metal mais abundante e de inferior qualidade, diluindo o conteúdo do ouro, mas

---

130 Não tenho dúvidas de que Rothbard concordaria com essa lógica, tendo ele apenas simplificado a definição de moeda para os propósitos de explicação das trocas indiretas. Contudo, escolhemos o trecho para contrastar a ideia de que qualquer bem usado como meio de troca jamais poderia ser taxado efetivamente de moeda.

131 Outro exemplo, este real, que também ilustra a imprecisão que seria qualificar qualquer meio de troca de moeda, é o caso do blogueiro canadense Kyle MacDonald. De julho de 2005 a julho de 2006, Kyle ficou famoso por trocar um simples clipe vermelho por diversos outros bens, em um total de 14 transações consecutivas, até atingir seu objetivo final, a aquisição de uma casa. Certamente não poderíamos considerar como moeda cada bem aceito por Kyle em cada uma das 14 transações. Disponível em: <http://en.wikipedia.org/wiki/One_red_paperclip>. Acesso em: 28 dez. 2013.

132 *Currency* advém do latim, da palavra *currens*, particípio presente do verbo *curr*, que significa correr. *Currens*, em português, equivale a "corrente", aquilo que corre ou está em curso.

mantendo o peso e a denominação oficial (por ex.: 5 marcos pesando 2 gramas). A *currency* era assim desvalorizada.

Valores maiores exigiam o uso de barras ou lingotes de ouro com maior massa e de difícil transporte, tarefa facilitada pelas cédulas de papel emitidas pelos governos e/ou bancos centrais. Assim, a moeda nacional era impressa em uma cédula com certa denominação (por ex.: a nota de 100 marcos no final do século XIX, equivalente a 36 gramas de ouro), a qual representava uma quantidade específica do metal precioso, podendo ser resgatada em espécie quando assim solicitado pelo portador a algum banco depositário. A moeda nacional (*currency*), assim, era separada da moeda propriamente dita, o ouro. A moeda nacional era uma representação do metal que poderia ser convertida em ouro quando demandado pelo proprietário da cédula de papel. Isso nada mais é do que a definição do padrão-ouro clássico; a paridade do ouro era promulgada em lei, e a moeda nacional circulava e era aceita independentemente de qualquer lei de curso forçado, pois a *currency* era resgatável em ouro, e os bancos centrais de fato obedeciam à lei. Até o início da Primeira Guerra Mundial, essa era a ordem monetária do Ocidente[133]. O ponto a ser compreendido aqui é que, mesmo no padrão-ouro clássico em que as cédulas de banco eram, em sua maior parte, lastreadas em ouro, cada vez menos o metal circulava, sendo a maioria das trocas de mercado realizadas com cédulas de papel, a moeda nacional.

Com a abolição do padrão-ouro pelos estados, o ouro deixou de ser moeda propriamente dita – por força de lei, é verdade –, e a moeda nacional (*currency*) passou a ser o dinheiro de fato, ou, em uma palavra, papel-moeda. Por essa razão, os termos ingleses *money* e *currency* são hoje sinônimos, embora historicamente seja possível observar a distinção entre os dois. Quando esse processo de remoção do vínculo ao ouro estava se desenrolando, a maioria dos economistas encarava a realidade como uma condição de total anomalia monetária. Como os cidadãos transacionariam com uma moeda nacional inconversível? A moeda de fato, o ouro, estava sendo proibida? Tendo a moeda se transformado em papel-moeda sem lastro, como classificá-la segundo a teoria monetária? O dólar americano seria moeda? E francos suíços? Especialmente em cidades e mercados fronteiriços, onde duas ou mais moedas nacionais costumam circular, como determinar qual papel-moeda é ou não dinheiro? Todavia seja uma situação anômala, o fato é que vivemos em um mundo onde o papel-moeda é a moeda propriamente dita, e o ouro, que foi moeda ao longo de milênios, foi relegado ao posto de ativo financeiro e reserva de valor, mas com pou-

133 Para um breve resumo do colapso monetário do Ocidente, ver ROTHBARD, 2013.

quíssimo uso como meio de troca. No mundo de Menger e Mises, ouro era a moeda global. Atualmente, temos quase duzentas moedas nacionais sem qualquer lastro material circulando em diversas jurisdições. Se moeda é o meio de troca universalmente aceito, hoje o que é moeda no sentido estritamente econômico do termo?

De acordo com essa definição, não há uma clara distinção entre o que é ou não moeda – ainda que a lei estabeleça claramente o que é moeda em cada jurisdição. O que encontramos é, ao contrário, "um *continuum* em que objetos com vários graus de liquidez, ou com valores que podem oscilar independentemente, se confundem um com o outro quanto ao grau em que funcionam como dinheiro"[134]. Em um mundo com dezenas de papéis-moedas circulando, essa é a incontestável realidade.

Vivendo intensamente os primeiros anos de moedas nacionais puramente fiduciárias e inconversíveis – a partir de 1971 com o fim da conversibilidade do dólar em ouro –, F.A. Hayek percebeu nitidamente essa imprecisão na definição de moeda. Em *Desestatização do Dinheiro*, ele observa que:

> Sempre considerei útil explicar a meus alunos que é pena qualificarmos o dinheiro como substantivo, e que seria mais útil para a compreensão dos fenômenos monetários se 'dinheiro' fosse um adjetivo descrevendo uma propriedade que diferentes objetos poderiam possuir, em graus variados. 'Moeda corrente' (*currency*) é, por esse motivo, uma expressão mais adequada, uma vez que objetos podem ter curso (*have currency*), em graus variáveis, e em diferentes regiões ou setores da população.[135]

Moeda, então, é mais bem entendida como uma qualidade de uma mercadoria de servir como um meio de troca, como um bem que é intercambiado no mercado e circula de mão em mão sem jamais, ou por um longo período, ser consumido de fato. Tal qualidade é potencializada ou debilitada por atributos variados intrínsecos a uma mercadoria – escassez, durabilidade, homogeneidade espacial e temporal, divisibilidade, maleabilidade, transportabilidade, etc. – e atributos "artificiais" conferidos por influências externas e estrangeiras à natureza da mercadoria – leis estatais de curso forçado, restrições legais de uso, etc. O conjunto desses atributos,

---

134 HICKS, John R., A Suggestion for Simplifying the Theory of Money, Economica, February 1935, p. 1-19 apud HAYEK, F. A. Desestatização do Dinheiro. São Paulo: Instituto Ludwig von Mises Brasil, 2011. p. 66.

135 HAYEK, 2011. p. 66.

endógenos e exógenos, impacta diretamente na qualidade monetária de uma mercadoria. E embora, a priori, pressupõe-se que qualquer mercadoria poderia ser empregada como meio de troca, há uma tendência inevitável de sobressaírem-se os bens que apresentarem os melhores atributos elencados acima. Esses bens, dentre os diversos usos que oferecem, tenderão a ser majoritariamente utilizados como meio de troca e valorados, em maior medida, pelos serviços monetários que proveem do que pelos serviços de consumo ou produção que podem também prover.

Logo, diferentes bens monetários podem se diferenciar uns dos outros em duas dimensões distintas e ora relacionadas, liquidez (aceitação) e estabilidade (volatilidade ou expectativa de valor).[136] Em certa região e em dado momento, diferentes bens monetários podem ser empregados com graus distintos de liquidez e estabilidade, sendo possível que, na mesma região, em outras épocas, distintos bens circulem como meio de troca, ou, até mesmo, noutras regiões, mas na mesma época, ainda outros bens possam ser utilizados como meio de troca.

Diante do exposto acima, definir moeda (ou dinheiro) como meio de troca universalmente aceito pode tornar o substantivo uma teoria inalcançável na prática, sendo jamais verificada empiricamente. Em virtude disso, há duas alternativas. Primeiro, nos atermos a essa definição comumente aceita, sendo obrigados, então, a matizar o conceito sempre que o empregarmos para estudar os fenômenos monetários da realidade – qual o meio de troca *mais líquido, em certo país, no dia de hoje*?[137] Ainda que plenamente possível, adotando essa postura permaneceremos com esse nível de imprecisão, dependendo substancialmente da investigação histórica e do julgamento do historiador a cada instante.

Por essas razões, acreditamos ser apropriada uma segunda alternativa. Propomos um refinamento na definição de moeda, visando remover o máximo possível de imprecisões remanescentes. Em vez de definirmos moeda como o meio de troca universalmente aceito, talvez o mais razoável seja a seguinte forma: ***moeda é qualquer bem econômico empregado indefinidamente como meio de troca***, independentemente de sua liquidez frente a outros bens monetários e de seus possíveis usos alternativos. Ressalte-se,

---

136 Ibid., p. 67.

137 Em *Theory of Money and Credit*, ao contemplar qual a moeda única que prevalecerá mundialmente, Mises afirma que "Não será possível pronunciar o veredito final até que todas as principais partes habitadas da Terra formem uma única área comercial, porque enquanto isso não acontecer, será impossível que outras nações com sistemas monetários adiram à área comum e modifiquem a organização internacional", MISES, 1953, p. 33. Essa declaração nos faz imaginar: e quando o comércio do homem no universo ultrapassar os limites do planeta Terra? Nesse cenário, qualificar um bem como moeda seria, assim, uma tarefa quase impossível.

sobretudo, que há uma tendência inevitável a que somente uma moeda prevaleça no mercado, sendo ela então a mais líquida, ou, até mesmo, a única moeda – admitindo que, na prática, uma única moeda seja algo que, talvez, jamais será alcançado.

É inegável que substituímos uma imprecisão – como identificar qual o meio de troca mais líquido para poder descobrir, então, qual é a moeda? – por outra – como apontar a partir de qual momento um bem passa a ser usado indefinidamente como meio de troca, tornando-se, assim, moeda? Entretanto, esta depende menos do julgamento subjetivo de cada historiador, sendo, assim, menos inexata do que aquela. A definição de moeda aqui proposta evita que caiamos nas áreas cinzentas, como ocorre naquelas regiões onde mais de uma moeda circula normalmente – cidades fronteiriças ou estados famosos pela livre circulação do dólar americano em paralelo à moeda nacional –, em que seria praticamente impossível identificar a moeda seguindo a definição de meio de troca comumente aceito. Resta claro que, nesses casos, tanto o dólar quanto o peso uruguaio, por exemplo, são moedas, embora na maioria dos municípios do Uruguai seja a moeda nacional a mais líquida.

Vale ressaltar que, assim como o mercado em geral é um processo dinâmico e competitivo, há concorrência no mercado de moedas, e nada garante que uma moeda muito líquida em dado instante e lugar não seja substituída por outra, em um processo competitivo, podendo até mesmo ser desconsiderada, no futuro, como uma moeda propriamente dita, passando a ser apenas uma mercadoria que, no passado, já foi empregada como bem monetário.

Logicamente, da definição de moeda aqui proposta – *qualquer bem econômico empregado indefinidamente como meio de troca* –, derivam algumas conclusões importantes. Primeiro, o ouro, atualmente, não é moeda, mas sim um ativo financeiro usado como reserva de valor. Desconheço empresas ou até mesmo indivíduos que aceitem o metal como meio de troca em transações comerciais. Certamente existem, mas em quantidade desprezível. Hoje em dia, o proprietário de uma barra de ouro dificilmente conseguirá usá-la como meio de troca; deverá, na realidade, converter o ouro em alguma moeda (dólar, euros, reais, etc., com grande dificuldade, dependendo da região e da forma do ouro em posse), para então poder comprar algo com moeda de fato. O ouro seria mais bem enquadrado na definição misesiana de moeda secundária, em que um bem altamente líquido precisa ser convertido em moeda antes de ser usado em alguma troca.

Segundo, e por fim, seria o bitcoin uma moeda? Sim, pois já existem diversas empresas e indivíduos transacionando com bitcoins mundo afora, com distintos graus de liquidez dependendo da região. Vale destacar que o número dos que com a moeda digital transacionam tem crescido constantemente. Contudo, poder-se-ia argumentar que ainda há muita demanda puramente especulativa ou como reserva de valor, e não como meio de troca. Nenhuma das alegações, porém, invalida o fato de a moeda digital já ser um meio de troca. A grande verdade é que há especulação em qualquer mercado de moeda. Aliás, as moedas são a principal classe de ativos em termos de volumes negociados, sendo responsáveis por mais de US$ 5 trilhões de dólares de volume transacional médio diário nos mercados cambiais (*currency* ou *foreign exchange markets*)[138]. A diferença entre a especulação de moedas tradicionais e a de moedas digitais é apenas uma questão de liquidez e desenvolvimento dos mercados financeiros tradicionais e de derivativos – daí, também, boa parte da razão da alta volatilidade do bitcoin. Reserva de valor, entretanto, é meramente um aspecto temporal da função primordial de meio de troca[139]. Devido à expectativa de futura manutenção ou apreciação de valor da moeda digital, muitos usuários podem decidir manter encaixes em bitcoins por um prazo mais alongado do que o fariam com moedas convencionais. Mas, ainda assim, com o objetivo – e a crescente possibilidade – de usá-los como bem monetário no futuro. Bitcoin é, portanto, uma moeda, um bem econômico empregado indefinidamente como meio de troca, embora com liquidez inferior à da maior parte das moedas fiduciárias nacionais neste instante da história[140].

Que essa definição de dinheiro aqui sugerida não seja encarada como uma tentativa de reinventar a teoria da moeda, pois não o é. Procuramos meramente oferecer um aprimoramento da *definição* usual de moeda, especialmente em face da realidade atual em que as antigas moedas globais – ouro e prata – desempenham praticamente nenhuma função monetária e o que temos, de fato, são quase duzentas moedas nacionais circulando pelo mundo como meio de troca, sem qualquer lastro além da confiança de seus bancos emissores. Além disso, a teoria monetária desenvolvida por Mises já contempla o uso de diversos tipos de moeda no mercado:

138 Triennial Central Bank Survey of foreign exchange and derivatives market activity in 2013. Disponível em: <http://www.bis.org/publ/rpfx13fx.pdf>. Acesso em: 10 jan. 2014.

139 Outros ativos podem servir como reserva de valor (ex.: imóveis), mas a liquidez destes pode ser bastante reduzida, sendo preciso, na maior parte das vezes, trocá-los por moedas (ou "monetizá-los") quando a sua utilização for necessária.

140 Bitcoin poderia ser considerado, dependendo do momento, uma moeda secundária, pois há casos em que ela acaba sendo convertida em moedas nacionais para concluir uma transação.

> A teoria do dinheiro deve levar em consideração tudo que está implícito no funcionamento de diversos tipos de moeda lado a lado. Somente onde suas conclusões são improváveis de serem afetadas de uma forma ou de outra, podemos proceder a partir da suposição de que um único bem é empregado como meio de troca comum. Nos demais casos, a teoria deve considerar o uso simultâneo de diversos *meios de troca*. Negligenciar isso seria esquivar-se de uma das tarefas mais difíceis.[141] (ênfase nossa).

Da mesma forma, e mais ciente da imprecisão na definição de moeda e de sua irrelevância para a teoria monetária, Mises elucida, na sua obra Ação Humana, que:

> Um meio de troca que seja de uso comum é denominado de moeda. A noção de moeda é vaga, uma vez que sua definição implica o emprego da expressão "uso comum", que é igualmente vaga. Existem situações nas quais se torna difícil definir se um meio de troca é ou não de uso "comum" e se pode ser denominado de moeda. Mas esta imprecisão na caracterização da moeda não afeta, de forma nenhuma, a exatidão e a precisão exigidas pela teoria praxeológica. Porque tudo o que possa ser predicado sobre moeda é válido para qualquer meio de troca. Resulta, portanto, irrelevante preservar o termo tradicional teoria da moeda, ou substituí-lo por outra denominação. A teoria da moeda foi e continua sendo a teoria da troca indireta e dos meios de troca.[142]

Em conclusão, visando exclusivamente uma maior exatidão dos termos, propomos aqui denominar de moeda o que muitos economistas provavelmente prefeririam qualificar apenas como meio de troca.

141 MISES, 1953, p. 34,
142 MISES, 2010, p. 465.

14. Meio de troca, reserva de valor e unidade de conta

As funções comumente atribuídas ao dinheiro são as de servir como i) meio de troca, ii) reserva de valor e iii) unidade de conta. Porém, as três funções não emergem instantaneamente no momento em que um bem passa a ser utilizado como meio de troca. Na verdade, facilitar as trocas, desempenhar a função de meio de troca é *a função* da moeda e, como elaborado acima, é como a moeda deve ser, inclusive, definida.

Um bem que ganha crescente liquidez no mercado tende a ser estocado, ou entesourado, como reserva de valor, de riqueza, para ser usado no comércio futuramente, quando será, então, empregado como meio de troca. Decorre, assim, que a moeda é também usada como preservação de poder de compra futuro. Isso nada mais é do que a função primordial de meio de troca manifestando-se no tempo e no espaço. Logicamente, a moeda não é único bem escolhido como reserva de valor; outros ativos podem desempenhar esse serviço, como imóveis e metais preciosos. Mas ambos, com graus de liquidez claramente distintos, não são usados como meio de troca – o ouro já foi por milênios, mas atualmente é um ativo financeiro de proteção, de preservação de valor. O que um indivíduo decide entesourar como reserva de valor dependerá de suas necessidades monetárias frente aos seus dispêndios futuros e da liquidez e expectativa de valor das diferentes moedas e ativos disponíveis no mercado. Servir como reserva de valor é, portanto, uma função secundária do dinheiro.

A terceira função comumente atribuída à moeda – unidade de conta – também é derivada de seu uso como meio de troca. À medida que a liquidez de um bem monetário aumenta e este passa a circular como a principal moeda em uma economia, os indivíduos tenderão a precificar os produtos e serviços e a realizar o cálculo econômico em função dessa moeda. Talvez resida aqui o marco de uma moeda amplamente aceita e desenvolvida, quando ela passa a ser usada não somente como meio de troca, mas também como a unidade de conta geral.

É a intervenção estatal no âmbito monetário, porém, a causa de genuínas anomalias econômicas. A interferência dos governos na moeda pode causar sérios danos à saúde monetária da economia, sendo capaz de separar por completo as três funções de um meio de troca usado em um país. É a inflação, a desvalorização da unidade monetária, o que leva indivíduos a buscar refúgios em moedas mais seguras e estáveis, como ocorria frequentemente no Brasil de décadas passadas, em que o dólar era entesourado pelos cidadãos e a moeda corrente nacional era gasta o mais rapidamente possível. A função de meio de troca era assim divorciada da função de reserva de valor e de unidade de conta. Primeiro, porque os cidadãos mantinham encaixes na moeda nacional somente para o estritamente necessário no curto prazo. E segundo, porque quando a moeda nacional perde valor de forma intensa e rápida, o cálculo econômico é seriamente debilitado, quando não impossibilitado.

No Brasil passado, a combinação de leis de curso forçado e da alta inflação da oferta de moeda nacional conduziu a um espetáculo de horror em questões monetárias. Dinheiro físico (papel-moeda) era usado nas transações do dia a dia, enquanto o dólar (papel-moeda) era entesourado nos lares. Os preços e o cálculo econômico eram realizados na moeda nacional, mas, desde cedo, com o suporte fundamental da indexação, que permitia um mínimo de racionalidade nas decisões econômicas e de preservação do poder de compra. E, dependendo dos mercados, o próprio dólar era a unidade de conta utilizada, ato comum no setor imobiliário, por exemplo. De fato, sem a coerção estatal, uma anomalia monetária dessa magnitude seria rapidamente evitada; os cidadãos migrariam ao uso de moedas seguras e estáveis tão logo quanto possível. Uma moeda nacional inflacionada pelo estado, que perde poder aquisitivo constantemente, dificilmente mantém as propriedades de reserva de valor e unidade de conta por si só. E a rapidez com que tal condição é verificada na prática é diretamente proporcional à intensidade da inflação.

Mas o que ocorreria com uma moeda que ganha poder de compra ao longo do tempo – como tem sido o bitcoin? Como seriam afetadas as funções de reserva de valor e unidade de conta? Mises defende que:

> Para o bom funcionamento do cálculo econômico, basta evitar flutuações grandes e abruptas na oferta de dinheiro. O ouro e, até meados do século XIX, a prata, atenderam muito bem às necessidades do cálculo econômico. As variações na relação entre a oferta e a demanda destes metais preciosos e as consequentes alterações no poder de compra foram tão lentas que o cálculo econômico dos empresários podia desprezá-las sem correr o risco de grandes desvios[143].

Pelo lado da oferta, o protocolo do Bitcoin assegura um crescimento da quantidade de bitcoins determinado e conhecido por todos. E independentemente de qualquer evento, a oferta monetária seguirá aumentando nesse ritmo pré-estabelecido. Pelo lado da demanda, porém, ainda há grandes oscilações, daí a razão de tamanha volatilidade, nesses primeiros

143 MISES, 2010, p. 276.

anos, no preço do bitcoin, e, por isso, a precificação dos bens e serviços adquiridos por bitcoin permanecem sendo efetuadas na moeda corrente. Felizmente, a demanda, embora volátil, tem crescido no longo prazo. O mesmo pode ser afirmado sobre o preço do bitcoin.

A verdade é que o bitcoin está passando por um processo de monetização, e enquanto a volatilidade perdurar, dificilmente será adotado como unidade de conta. O aumento de sua liquidez e aceitação, porém, pode definitivamente fazer com que o bitcoin seja não apenas um meio de troca e um ativo para preservação de riqueza, mas também a moeda em função da qual os produtos e serviços são precificados e com a qual é realizado o cálculo econômico. Um sinal de que o bitcoin atingiu um estágio avançado de desenvolvimento será o momento em que a moeda digital for um meio de troca, uma reserva de valor *e uma unidade de conta*.

15. Conclusão

Atentando à advertência de Mises, buscamos, neste capítulo, nos ater à essência do Bitcoin, não deixando que a mera aparência nos impedisse de compreender um fenômeno fundamentalmente similar a outras formas de dinheiro como as conhecemos.

O surgimento do Bitcoin em nada contraria o teorema da regressão de Mises, ao contrário, é a mais recente ilustração histórica do enunciado praxeológico acerca da origem do dinheiro. Assim, como economistas, estamos presenciando em tempo real o nascimento e a formação de uma moeda totalmente globalizada, apolítica, sem fronteiras e livre. Além disso, esse processo se desenrola diante de nossos olhos com um vasto registro histórico que se avoluma a cada novo dia na vida da moeda digital. Um feito inédito, sem dúvida alguma.

Apesar da aparência unicamente digital, as atuais formas de dinheiro assemelham-se em muito ao Bitcoin. A maior parte da massa monetária no mundo moderno manifesta-se de forma intangível; nosso dinheiro já é um bem incorpóreo, uma característica que em nada nos impede de usá-lo diariamente. Não obstante as similitudes, o Bitcoin introduz inovações antes inconcebíveis pela mente humana. Sua natureza totalmente descentralizada; o compartilhamento de um registro público, único e universal por todos os usuários; a capacidade de transferência de fundos instantânea a qualquer parte do globo terrestre; e o fato de prescindir de um terceiro fiduciário para transacionar fazem do Bitcoin uma façanha da civilização. Além do mais, tais atributos fazem com que o Bitcoin, como sistema monetário, incorpore as principais qualidades das formas de moedas existentes – como a escassez relativa do ouro e a transportabilidade do papel-moeda –, aperfeiçoando suas principais fraquezas – como a dificuldade de transportar e estocar metais preciosos ou a ilimitada produção de papel-moeda. Bitcoin é, simplesmente, uma forma de dinheiro superior a todas as demais.

Como moeda, poderá o Bitcoin ampliar sua liquidez e sua relevância no comércio internacional? No que depende da teoria econômica, não há nada que o previna de alcançar tal posto. Potencial para tanto, o Bitcoin seguramente tem. No que depender da livre ação humana, da função empresarial dos homens, é possível que a adoção do Bitcoin seja ampliada, bem como sua liquidez. Porque, como diz Menger:

> Só podemos entender por completo a origem do dinheiro se aprendermos a visualizar o estabelecimento do procedimento social que estamos tratando, como o resultado espontâneo, a resultante não premeditada, de certos esforços individuais dos membros de uma sociedade, os quais se empenharam, pouco a pouco, a discriminar os diferentes graus de vendabilidade de cada commodity.[144]

E, além de discriminar dentre as mercadorias que apresentavam a maior liquidez, a criatividade humana, identificando propriedades que tornariam um bem um melhor meio de troca, sempre tratou de aperfeiçoar tais mercadorias de modo a aumentar a liquidez de um bem já bastante comercializável. Exatamente com esse intuito, cunhavam-se barras ou moedas de ouro, porque transacionar com ouro em sua forma bruta seria muito complicado, impedindo uma maior aceitação no mercado.

Estamos testemunhando esse mesmo processo com o Bitcoin. As ações espontâneas de alguns membros da sociedade criaram uma forma de moeda inovadora e superior à que hoje conhecemos. É plausível, portanto, vislumbrar a intensificação desse processo, em que o dinamismo do mercado e a inata criatividade do ser humano descobrirão formas de aumentar a liquidez do Bitcoin.

Assim como o ouro e prata são consideradas "moedas naturais" – cuja emersão como meio de troca geralmente usado foi um processo espontâneo do livre atuar dos indivíduos no mercado –, podemos, igualmente, definir o Bitcoin como uma moeda natural, que passa a ser usada pela

---

144 MENGER, 1892, p. 245.

cooperação voluntária dos membros de uma sociedade, provendo apoio mútuo sem qualquer violação dos direitos de propriedade de outrem[145]. Amiúde, estados solaparam as moedas naturais em benefício próprio. Mas a natureza descentralizada da moeda digital impõe um revés ao ímpeto intervencionista estatal. Com certeza, é um ponto de inflexão na história monetária mundial, cujos desdobramentos só podemos especular.

145 HÜLSMANN, Jörg Guido. The Ethics of Money Production. Auburn: Ludwig von Mises Institute, 2008.

Capítulo V

A liberdade monetária e o Bitcoin

"A moeda não foi gerada pela lei. Na sua origem, ela é uma instituição social, não estatal."

Carl Menger, *On the origins of money*

"Dinheiro é um fenômeno do mercado. O que isso significa? Significa que o dinheiro desenvolveu-se no mercado, e seu desenvolvimento e funcionamento não têm nada a ver com o governo, o estado ou a violência exercida pelos governos."

Ludwig von Mises, *On money & inflation*

"Não poderia haver um freio melhor contra o abuso da moeda pelo governo do que se as pessoas fossem livres para recusar qualquer moeda que desconfiassem e preferir uma moeda na qual confiam... Parece-me que se conseguíssemos impedir governos de se intrometer com a moeda, faríamos um bem maior do que qualquer governo já fez a esse respeito."

F.A. Hayek, *Choice in currency*

DESDE TEMPOS IMEMORIAIS, é vedada aos indivíduos a liberdade de escolha de moeda. Somos obrigados a usar um dinheiro estatal, constantemente abusado e depreciado. Não obstante, moeda honesta e sadia é uma precondição básica para uma sociedade próspera e livre. Mas alcançar esse ideal pela via política é algo bastante intricado.

Nesta última seção, faz-se necessário entender o valor de uma moeda livre para a prosperidade e liberdade de cada indivíduo e da sociedade como um todo. E, uma vez compreendida a noção de dinheiro livre, recordaremos sucintamente algumas das diversas tentativas e propostas de reformas do sistema monetário ao longo da história, identificando as principais causas dos seguidos malogros.

Diante de todo o conhecimento aqui organizado e elaborado, será possível, então, não somente perceber como o Bitcoin se encaixa nesse estado de coisas, mas também captar a essência do fenômeno, a sua força motriz. Por fim, e concluindo a obra, nos lançaremos à arriscada missão de conjecturar e prever o futuro da moeda digital.

1. A importância da liberdade monetária para uma sociedade próspera e livre

O senso comum costuma atribuir ao dinheiro a causa de todos os males. Em realidade, sem o dinheiro, a sociedade como hoje existe seria inconcebível. Dinheiro é um meio de troca, é o grande facilitador dos intercâmbios realizados no mercado. É ele que permite a divisão do trabalho, possibilitando que cada produtor se especialize naquilo que melhor produz. O aprofundamento da divisão do trabalho aumenta a produtividade da economia e a capacidade de poupança, que, por sua vez, viabilizam o investimento e o acúmulo de capital. A constante multiplicação do capital acumulado significa que a economia cresce e prospera e que, assim, a sociedade cria riqueza e é capaz de melhorar o padrão de vida dos seus cidadãos.

Dinheiro não é um mal; é, na verdade, o bem fundamental em qualquer economia minimamente complexa. Tivéssemos que voltar ao escambo, nossa economia não seria capaz de alimentar mais do que um punhado de famílias. Em definitivo, o dinheiro é uma das instituições mais essenciais de uma civilização; é o bem que torna possível a cooperação social em larga escala.

Dessa forma, toda agressão contra a moeda gerará consequências gravíssimas no funcionamento da economia. A falsificação e a depreciação da unidade monetária, historicamente um privilégio de soberanos e governos, geram efeitos perniciosos na sociedade, impedindo uma cooperação social tranquila. A intervenção estatal na moeda como hoje a conhecemos não é diferente. O monopólio de emissão de moeda e o sistema bancário cartelizado pelo próprio governo são responsáveis por grande parte dos problemas econômicos enfrentados pela sociedade moderna.

Quando analisamos a história da moeda, encontramos um registro sucessivo de episódios recorrentes de agressão ao dinheiro da sociedade. Das técnicas indecentes de envilecimento das moedas à moderna e ilimitada criação de moeda fiduciária eletrônica, quem paga a conta pela inflação é sempre a sociedade, em especial, os mais pobres. O imposto inflacionário, a forma mais indigna e abominável de expropriar riqueza dos indivíduos, não é nem sequer compreendido por grande parte da sociedade. Como o próprio Keynes expressou ao constatar que Lenin tinha razão sobre a inflação como forma de subverter o sistema capitalista:

> Não há maneira mais sútil nem mais segura de derrubar a base da sociedade do que perverter a moeda. O processo engrena todas as forças ocultas da lei econômica no lado da destruição e o faz de tal forma que nem um homem dentre um milhão é capaz de diagnosticar.[146]

A inflação é o artifício mais eficiente para financiar os gastos do estado sem precisar recorrer ao impopular e visível imposto. E é, simultaneamente, uma forma de redistribuição de riqueza, pois qualquer inflação, qualquer aumento na quantidade de dinheiro na economia, não é neutra. Há ganhadores e perdedores, nem sempre perfeitamente identificados. Enriquecem aqueles que primeiro recebem a moeda recém-criada, porque são capazes de adquirir bens e serviços aos preços ainda correntes. Estes são os recipientes mais próximos do dinheiro novo, como políticos, servidores públicos e as empresas dos setores ora beneficiados pelo gasto público. Empobrecem aqueles que por último recebem a moeda de nova criação, porque, após ela circular pela economia, o aumento da oferta monetária conduzirá necessariamente a uma diminuição no seu poder de compra, ou, o seu corolário, a uma elevação generalizada dos preços. Quem são esses perdedores? Quem depende de um salário fixo ao fim de cada mês. Normalmente, os mais pobres da sociedade, que, quando do recebimento de seus proventos, não mais poderão obter o que o seu dinheiro antes comprava. A inflação é a causa principal da desigualdade em um país. E quanto maior sua intensidade, piores suas consequências.

Não há dúvidas de que grande parte da desigualdade social brasileira reside justamente na emissão descontrolada de moeda nas décadas passadas – quase sempre sob os mantos intocáveis da industrialização, das políticas sociais e do assistencialismo. Moeda sadia não faz parte da cultura e história luso-brasileira[147]. No Brasil, a perversão da moeda é norma histórica e princípio nuclear da política social. É verdade que o Plano Real nos propiciou um mínimo de civilidade monetária, mas, ainda assim, em grau aquém do desejável quando comparado ao de países desenvolvidos.

---

146 KEYNES, John Maynard. As Consequências Econômicas da Paz. Brasília: UnB, 2002.

147 MEIRA PENNA, J.O. de. Em berço esplêndido – ensaios de psicologia coletiva brasileira. Rio de Janeiro: Topbooks, 1999.

O caso brasileiro, singular e com poucos paralelos pelo mundo, é o que Mises denominava de *inflação simples*, em que a emissão de moeda ocorre essencialmente com o propósito de financiamento direto do estado; a gestão monetária é nitidamente uma atividade política. Nesse arranjo, o aumento da oferta monetária gera principalmente uma diminuição do poder aquisitivo da moeda, com efeitos secundários na atividade econômica.

Entretanto, a inflação hoje em dia é gerada de forma mais complexa e envolve bancos centrais e todo o sistema bancário. E embora ela também sirva como fonte de custeio fiscal, essa função é indireta e um tanto imperceptível[148]. Bancos centrais relativamente independentes – embora existam somente com o amparo legal e a maior parte de seus incumbentes seja indicada politicamente – controlam a oferta de moeda de forma monopolística, regulando e supervisionando todo o sistema bancário. Essa é a ordem que vigora em quase todos os países modernos. A consequência não intencionada são os recorrentes ciclos econômicos, episódios de auge e recessão em que a atividade econômica é artificialmente fomentada, gerando uma falsa prosperidade que contém as sementes de sua própria destruição. O caso mais recente, a crise de 2008, é um perfeito exemplo da ingerência estatal da moeda conforme estruturada no presente. Embora possamos considerar essa ordem monetária superior à simples emissão de moeda pelo estado em seu próprio e direto benefício, ela é igualmente instável e insustentável. Existe e perdura por força de lei, não pela escolha do mercado. A doutrina da moeda estatal não admite concorrência.

A ordem monetária vigorante é uma criatura disforme, filha das urgências fiscais de governos, como a suspensão da conversibilidade das moedas nacionais em ouro para financiar a Primeira Guerra Mundial - encerrando assim um longo ciclo de estabilidade monetária. Apuros fiscais e má gestão da moeda conduziram inevitavelmente à abolição do padrão-ouro. É preciso frisar, no entanto, que o metal precioso não colapsou, nem mesmo falhou como padrão monetário. O fracasso, de fato, deveu-se aos estados, descontentes com a disciplina imposta pelo padrão-ouro, pois este era o último empecilho à livre emissão de moeda, seja para financiar guerras, seja para bancar o estado de Bem-Estar Social. O que temos hoje é um sistema monetário elástico, cuja emissão de moeda é uma mera função da vontade política embasada por teorias econômicas defeituosas[149].

---

148 Quando o governo precisa de recursos, além dos impostos arrecadados, ele emite títulos de dívida, que, por sua vez, são adquiridos pelos bancos chamados de *dealers primários* pela simples criação de moeda bancária (ou escritural) do nada. Por outro lado, o banco central realiza sua política monetária comprando e vendendo títulos públicos desses mesmos bancos – igualmente, criando moeda do nada –, criando assim um mercado cativo e assegurando liquidez suficiente aos títulos de dívida emitidos pelo estado.

149 SCHLICHTER, Detlev. Paper Money Collapse – the folly of elastic money and the coming

O peso dos estados modernos na economia é uma realidade preocupante, e sua sobrevida é facilitada pelo controle monopolístico da moeda. E todo aumento de poder, toda expansão do estado, redunda em perda de liberdade. Moeda honesta é, sobretudo, um limitador ao crescimento do estado. É uma forma de impor disciplina a um ente indisciplinado por natureza.

Contudo, os efeitos de uma moeda estatal não têm reflexos somente no crescimento do poder do estado. A inflação molda o comportamento dos indivíduos, provocando distúrbios na cooperação social, deixando marcas na cultura e na conduta humana em sociedade que seguem presentes por gerações. Governo hipercentralizado, ciclos de auge e recessão, o jugo da dívida – a poupança é suplantada pelo crédito como motor de crescimento –, a especulação financeira desenfreada, a desconfiança entre consumidores e produtores, etc., são alguns traços do legado cultural e espiritual da inflação monetária[150].

Moeda honesta é, portanto, o ideal ao qual todo defensor da liberdade deveria aspirar. A raiz de todos os males não é o dinheiro; é, na verdade, a inflação, cuja semente germina no controle estatal da moeda. Liberdade monetária significa liberdade de escolha de moeda; significa também liberdade de produção de moeda em um ambiente de livre concorrência. Como Hayek postulou há quase 40 anos em defesa da livre produção de moedas privadas, "Um bom dinheiro só pode surgir do interesse próprio, e não da benevolência. Sempre tivemos moeda ruim porque a empresa privada não teve permissão de nos fornecer uma melhor"[151].

2. As propostas de reformas pelos liberais

Desde a tradição iniciada por Ludwig von Mises, todo economista da Escola Austríaca de economia buscou estudar como reformar o sistema monetário vigente. O princípio de moeda sadia guiou as doutrinas e políticas monetárias do século XIX, mas somente no século passado foi ele estendido, englobando os preceitos não somente de uma moeda sólida, mas também – e sobretudo – de uma moeda livre da ingerência estatal.

Dentre os principais expoentes de propostas à reconstrução monetária estão os economistas liberais Ludwig von Mises, Murray N. Rothbard, F. A. Hayek, Hans Sennholz, Jesús Huerta de Soto e Philipp Bagus. Entre-

---

monetary breakdown. New Jersey: John Wiley & Sons, 2011.
150 HÜLSMANN, 2008.
151 HAYEK, 2011, p.154.

tanto, e como a realidade inexorável atesta, nenhuma proposta teve sucesso. Ou, mais bem dito, nenhuma foi sequer implantada.

Embora todas defendam o princípio de moeda sólida como fim, as propostas pecam nos meios para atingir esse ideal. Igualmente, cada uma tem suas vantagens e desvantagens, pontos meritórios, medidas intervencionistas, arbitrariedades, etc.[152] Mas todas convergem ao mesmo problema central: para serem implantadas, dependem da decisão política. Estão subordinadas à promulgação e aplicação de leis. Nem mesmo a ideia de reforma mais radical, a de *Button-Pushing* de Philipp Bagus[153], escapa desse ponto nevrálgico. Em suma, são todas politicamente inviáveis.

Isso não significa que sejam politicamente impossíveis, meramente que, neste instante do tempo, alcançar esse objetivo pela via política é altamente improvável. E por que é altamente improvável? Primeiro, porque uma reforma monetária e bancária liberal afronta quem mais se beneficia do status quo, o governo e os bancos. Um governo legislará contra seu próprio interesse somente no instante em que a causa for pauta política capaz de decidir eleições. E como pode o ideal de liberdade monetária ser um tema comum e discutido pela sociedade a ponto de tornar-se uma questão política? Como convencer a maioria da população acerca da necessidade e dos benefícios de tal medida? Não há atalhos, a única via passa pela educação. "Há, portanto, uma imensa tarefa educacional à nossa frente antes que possamos ter a esperança de nos libertarmos da mais grave ameaça à paz social e à contínua prosperidade, inerente às instituições monetárias atuais", concluiu Hayek[154]. Definitivamente, concordamos com essa afirmação, é preciso educar a sociedade.

Mas sejamos realistas: quando podemos esperar a materialização dessa tarefa? A compreensão dos fenômenos monetários não é algo simples, não é algo que o cidadão médio seja capaz de absorver facilmente. O ideal de liberdade monetária, portanto, a ser atingido pela via política está condicionado à educação de grande parte da sociedade, de modo a tornar a questão não só relevante, mas também crítica no processo democrático. Seria razoável esperar que isso se torne realidade? Infelizmente, considero bastante improvável persuadir a opinião pública na direção de uma moeda livre assegurada por força de lei. Porque, além de conseguir a adoção de

---

152 Recomendo fortemente a análise crítica feita por Philipp Bagus em *Monetary Reform and Deflation – A Critique of Mises, Rothbard Huerta de Soto and Sennholz,* New Perspectives on Political Economy, Volume 4, Number 2, 2008, pp. 131-157.

153 Bagus defende, bascimaente, a remoção imediata e simultânea de todas as intervenções e privilégios nos âmbitos monetário e bancário. BAGUS, Philipp, *Monetary Reform– The Case for Button-Pushing,* New Perspectives on Political Economy, Volume 5, Number 2, 2009, pp. 111-128.

154 HAYEK, 2011, p. 156.

políticas públicas com esse viés, a manutenção da reforma, a sua sustentabilidade, dependerá também de uma sociedade educada na matéria, ou testemunharemos os avanços obtidos ruírem na demagogia do próximo governante populista.

Precisamente neste ponto jaz uma das forças do Bitcoin. Ao invés de implorar pelo respaldo legal, ele o contorna. Ao invés de pedir permissão para operar, ele simplesmente existe. O Bitcoin não é uma criatura do estado, é uma invenção e evolução do mercado que independe do consentimento do poder público. É claro que as decisões políticas podem influenciar a conduta dos indivíduos e das empresas, mas aquelas, por si só, são incapazes de coibir o livre funcionamento da moeda digital. Anular o poder proibidor dos governos é algo inédito na história da humanidade.

3. Bitcoin contra a tirania monetária

A moeda digital criada por Satoshi Nakamoto proporciona enormes vantagens comparativas em relação às demais moedas fiduciárias. Mas Bitcoin não é apenas uma forma de realizar transações globais com baixo ou nenhum custo. Bitcoin é, em realidade, uma forma de impedir a tirania monetária. Essa é a sua verdadeira razão de ser[155].

O entorno do surgimento da moeda digital não foi nenhuma coincidência. Bitcoin emergiu como uma resposta natural ao colapso da atual ordem monetária, à constante redução de privacidade financeira e a uma arquitetura bancária cada vez mais prejudicial ao cidadão comum. Governos não podem inflacionar bitcoins. Governos não podem apropriar-se da rede Bitcoin. Governos tampouco podem corromper ou desvalorizar bitcoins. E também não podem proibir-nos de enviar bitcoins a um comerciante no Maranhão ou no Tibete.

Imaginem um mundo sem inflação, sem bancos centrais desvalorizando o seu dinheiro para financiar a esbórnia fiscal dos governantes. Sem confisco de poupança. Sem manipulação da taxa de juros. Sem controle de capitais. Sem banqueiros centrais deificados e capazes de dobrar a base monetária a esmo e a qualquer instante para salvar banqueiros ineptos que se apropriaram dos seus depósitos em aventuras privadas. A verdade

155 MATONIS, Jon. Bitcoin Prevents Monetary Tyranny, Forbes, 4 abr. 2012. Disponível em: <http://www.forbes.com/sites/jonmatonis/2012/10/04/bitcoin-prevents-monetary-tyranny/>. Acesso em: 15 mai. 2013.

é que o Bitcoin, ou o que vier a substituí-lo no futuro, impõe uma verdadeira concorrência contra o cartel dos banqueiros e a moeda dos governos. Por isso, não esperemos nenhuma boa vontade dessa dupla simbiótica em relação ao Bitcoin.

A internet nos permitiu a liberdade de comunicação. O Bitcoin tem o potencial de devolver nossa liberdade sobre nossas próprias finanças. Bitcoin é a internet aplicada ao dinheiro.

Como o próprio Satoshi Nakamoto expressou em certa ocasião:

> O problema básico com a moeda convencional é toda a confiança necessária para fazê-la funcionar. Precisamos confiar que o banco central não desvalorizará o dinheiro, mas a história das moedas fiduciárias está repleta de quebras dessa confiança. Bancos têm a obrigação de guardar nosso dinheiro e transferi-lo eletronicamente, mas eles o emprestam em ondas de bolhas de crédito com uma mera fração em reserva. Temos que confiar-lhes com nossa privacidade, confiar que não deixarão ladrões de identidade drenar nossas contas.[156]

O Bitcoin dispensa a dependência de intermediários fiduciários que historicamente violaram os direitos de seus clientes. Ele impede a tirania monetária, tornando-a praticamente impossível. Para qualquer defensor da liberdade, é um feito louvável; para cidadãos de regimes autoritários, é uma necessidade imprescindível. Em definitivo, qualquer nação com histórico recorrente de agressões contra a moeda será muito beneficiada pelo uso do Bitcoin. Os brasileiros, por exemplo, tão calejados por diversos planos econômicos malfadados, têm muito a ganhar com uma moeda que os protege genuinamente das arbitrariedades de governos que, ao longo da história, abusaram do poder, infringindo impiedosamente os direitos de propriedade de seus cidadãos.

A história da humanidade é um atestado de uma triste verdade: nenhum sistema político foi capaz de conter os abusos de governos no âmbito monetário. Bitcoin nasce, assim, como uma alternativa necessária, porque quando as Constituições e a separação dos poderes são incapazes de assegurar uma moeda inviolável, a tecnologia se encarrega de fazê-lo. A separação do estado e da moeda será uma questão tecnológica, não política.

---

156 Disponível em: <http://p2pfoundation.net/Bitcoin>. Acesso em: 10 jan. 2014.

4. O futuro do Bitcoin

Embora possa parecer que haja uma dicotomia entre o Bitcoin e as moedas fiduciárias, em realidade, é preciso enxergar o Bitcoin não como mutuamente excludente, mas sim como complementário às formas de dinheiro até hoje existentes. É verdade que não podemos saber se o Bitcoin irá perdurar. Não sabemos se sobreviverá outro ano, ou uma década. Mas arrisco dizer que uma moeda digital (ou criptomoeda) veio para ficar. "O preço do Bitcoin pode até colapsar, e os usuários podem repentinamente migrar para outra moeda", escreveu a revista Britânica *The Economist* em artigo sobre o Bitcoin, "mas há grande probabilidade de que alguma forma de dinheiro digital deixará uma marca duradoura no ambiente financeiro"[157].

Há inúmeras vantagens que fazem de uma moeda digital um excelente complemento no meio financeiro. No seu atual estágio, o Bitcoin já representa uma substancial redução nos custos de transação. Portanto, independentemente da sua liquidez futura, ele já atua como um meio de troca, já é uma moeda, embora menos líquida do que as moedas nacionais. Dessa forma, poderíamos até considerá-lo o precursor de uma nova classe de ativos: a das "moedas digitais".

Apesar de ser uma tecnologia inovadora com potencial de trazer inúmeros benefícios à sociedade, ainda há importantes barreiras a serem ultrapassadas. Especialmente no âmbito legal e regulatório, ainda há enormes incertezas quanto à ação dos governos diante do crescimento do Bitcoin. Muitos adeptos da moeda digital clamam pela legitimidade legal, sob a justificativa de que ela é necessária para o seu desenvolvimento. É verdade que logo as autoridades terão de se pronunciar, pois a ampliação do uso do Bitcoin obrigará os governos a esclarecerem de que forma as transações com a moeda serão tributadas. Contudo, não devemos esperar aplausos de algum órgão regulador, nem apoio ou qualquer atitude efusiva oriunda do setor público em relação às moedas digitais. Afinal de contas, como guardiões da moeda e da estabilidade financeira, bancos centrais e reguladores têm por ofício a incumbência de gritar fogo ao menor sinal de perigo. Além disso, no momento em que o Bitcoin for percebido como um concorrente genuíno à moeda estatal e ao sistema bancário, o tratamento legal dado a ele poderá ser bastante negativo.

157 Mining digital gold. The Economist, 13 apr. 2013. Disponível em: <http://www.economist.com/news/finance-and-economics/21576149-even-if-it-crashes-bitcoin-may-make-dent-financial-world-mining-digital>. Acesso em: 20 mai. 2013.

Embora a necessidade de legitimidade legal possa ser questionada, não há dúvidas de que a legitimidade de mercado é fundamental ao avanço e desenvolvimento do Bitcoin. Como os indivíduos, as empresas e o comércio em geral percebem a moeda é e será fator decisivo no progresso e na ampliação de seu uso. Por essa razão, é notável o fato de grandes empresas passarem a aceitar o Bitcoin[158] por questões mercadológicas, e não apenas como uma mera tática de marketing. O ano de 2014 será, possivelmente, repleto de notícias de novas empresas, novos comerciantes e afins adotando o Bitcoin como uma nova forma de pagamento. Arrisco dizer que o preço ficará em segundo plano. O tema central será a convergência do mercado à mais nova tecnologia financeira dos últimos anos. A adesão ao Bitcoin está prestes a tornar-se um imperativo de mercado. Essa, sim, é a legitimidade essencial ao futuro da moeda digital.

Mas, sem dúvida alguma, essa nova moeda enfrentará obstáculos ao longo do percurso. Haverá volatilidade, possíveis bolhas e quedas, casas de câmbio serão fechadas, outras quebrarão, e novas formas de usar a moeda surgirão. O livre mercado certamente saberá contornar os percalços e progredir. A inata capacidade criativa do ser humano é o motor do progresso, e nela reside meu otimismo em relação ao futuro do Bitcoin.

Como tecnologia, aos poucos o protocolo Bitcoin vai sendo descoberto pelo que realmente é: uma forma revolucionária de criar, transitar e estocar informação prescindindo de qualquer intermediário; uma forma inovadora para transferência de propriedade. A moeda foi apenas a primeira aplicação; no futuro, é provável que a tecnologia seja aproveitada em várias outras indústrias.

Por fim, e voltando ao Bitcoin como uma nova forma de dinheiro, deixo uma sugestão aos economistas: estudem a moeda digital a fundo. Não a desmereçam pela simples aparência virtual. De fato, o Bitcoin tem forçado os estudiosos da teoria monetária e bancária a revisitar conceitos que pareciam estar completamente compreendidos e superados. Temos uma oportunidade ímpar de refinar a teoria acerca dos fenômenos monetários. Àqueles que prezam a liberdade, reitero que, pela primeira vez na história da humanidade, a possibilidade de não dependermos de nenhum órgão central controlando nosso dinheiro é real e está se desenrolando neste exato instante diante de nossos olhos. É a primeira moeda verdadeiramente global desde que o ouro foi forçadamente desmonetizado. À liberdade individual e ao desenvolvimento

158 ULRICH, Fernando. Uma semana histórica para o Bitcoin. InfoMoney, 13 jan. 2014. Disponível em: <http://www.infomoney.com.br/blogs/moeda-na-era-digital/post/3143266/uma-semana-historica-para-bitcoin>. Acesso em: 13 jan. 2013.

da civilização, as consequências desse arranjo são extraordinárias e sem precedentes. Dinheiro honesto é uma questão sobretudo moral e basilar para qualquer sociedade que almeja a paz e a prosperidade. E é precisamente essa a essência do experimento Bitcoin.

Mas não esperemos, como sinal de sucesso, que a moeda digital venha algum dia a suplantar as moedas estatais. Basta o Bitcoin servir ao menos como um firme e confiável empecilho ao abuso irrestrito do nosso dinheiro pelos governos, e ele já terá seu nome gravado na história da liberdade.

Em 2008, Satoshi Nakamoto supostamente teria dito que o Bitcoin "é muito atrativo do ponto de vista libertário, se conseguirmos explicá-lo adequadamente. Mas infelizmente sou melhor com código de programação do que com palavras".

Espero que esta obra tenha ajudado a explicar um pouco melhor em palavras o significado revolucionário dos códigos do Bitcoin.

Apêndice

Dez formas de explicar o que é o Bitcoin

Para aqueles que desejam uma rápida fonte de referência para explicar o que é o Bitcoin, este breve texto será de muita utilidade. Porque, à primeira vista, entender o que é Bitcoin não é uma tarefa fácil. A tecnologia é tão inovadora, abarca tantos conceitos de distintos campos do conhecimento humano – e, além disso, rompe inúmeros paradigmas – que explicar o fenômeno pode ser uma missão ingrata.

Acredito que iniciar qualquer explicação com "criptografia", "rede *peer-to-peer*", "chave pública", "mineração em computador", "consenso distribuído", etc. é, em geral, um péssimo começo. Mas depende muito do seu interlocutor, é claro.

Explicar o que é Bitcoin é um processo gradual e progressivo. Você não começa detalhando todas as nuances do protocolo e como a criptografia moderna é empregada em uma rede de computadores totalmente distribuída. Não. Você deve iniciar do básico. E, preferencialmente, deve procurar explicá-lo relacionando-o com a realidade de cada pessoa.

Curiosamente, o Bitcoin reúne duas instituições que poucos sabem descrever e interpretar, mas muitos as usam diariamente: o dinheiro e a internet. É como o Nassim Taleb afirma em seu livro Antifragile: "O conhecimento não exclui o uso".

Dito isso, e sendo o Bitcoin uma tecnologia nascente e inovadora, muitos querem entendê-lo, para poder usá-lo. Absolutamente compreensível. Assim, não nos esquivaremos da missão de desvendá-lo. O que se segue são meras sugestões para iniciar a explicação do Bitcoin, pois além deste passo introdutório acabaríamos enredados em detalhes desimportantes para muitos (neste caso, melhor ler todo o livro de uma vez). Considerando os possíveis e distintos interlocutores, elenquei abaixo alguns importantes, aos quais recomendo as seguintes explicações quando você apresentar o Bitcoin:

Ao cidadão comum: Bitcoin é uma forma de dinheiro, assim como o real, dólar ou euro, com a diferença de ser puramente digital e não ser emitido por nenhum governo. O seu valor é determinado livremente pelos indivíduos no mercado. Para transações online, é a forma ideal de pagamento, pois é rápido, barato e seguro. É uma tecnologia inovadora.

À geração Y: Você lembra como a internet e o e-mail revolucionaram a comunicação? Antes, para enviar uma mensagem a uma pessoa do outro lado da Terra, era necessário fazer isso pelos correios. Nada mais antiquado. Você dependia de um intermediário para, fisicamente, entregar uma mensagem. Pois é, retornar a essa realidade é inimaginável. O que o e-mail fez com a informação, o Bitcoin fará com o dinheiro. Com o Bitcoin você pode transferir fundos de A para B em qualquer parte do mundo sem jamais precisar confiar em um terceiro para essa simples tarefa.

Ao banqueiro: Bitcoin é uma moeda e um sistema de pagamento em que o usuário, dono da moeda, custodia o seu próprio saldo. Isso quer dizer que o usuário é seu próprio banco, pois ele é depositante e depositário ao mesmo tempo. Nesse sistema, os usuários podem efetuar transações entre si sem depender de um intermediário ou casa de liquidação, independentemente da localização geográfica de cada um. Similarmente à moeda escritural, de criação exclusiva do sistema bancário, o bitcoin é uma moeda incorpórea.

Ao banqueiro suíço: Bitcoin é como uma conta bancária suíça numerada que pode existir no seu próprio smartphone. Com ele, é possível fazer transações online com quase nenhum custo. É como se você tivesse um supercartão de débito bancário, ainda que não haja nenhum cartão físico e nem mesmo um banco por trás. E somente bitcoins podem circular nesse sistema.

Ao banqueiro central: Bitcoin é uma moeda emitida de forma descentralizada seguindo as regras de uma política monetária não discricionária e altamente rígida. O objetivo principal da política monetária do Bitcoin é o crescimento da oferta de moeda, o qual é predeterminado e de conhecimento público. Além disso, o Bitcoin é, ao mesmo tempo, uma unidade monetária e um sistema de pagamentos e de liquidação. Dessa forma, os usuários transacionam entre si e diretamente, sem depender de um terceiro fiduciário.

Ao contador: Bitcoin é como um grande livro-razão, único e compartilhado por todos os usuários simultaneamente. Nele, todas as transações são registradas, sendo verificadas e validadas por usuários especializados, de modo a evitar o gasto duplo e que usuários gastem saldos que não possuem ou de terceiros. Esse registro público universal e único não pode ser forjado. Lá estão devidamente protocoladas todas as transações já realizadas na história do Bitcoin, bem como os saldos atualizados de cada usuário. O livro-razão é, assim, um registro fidedigno, estando sempre atualizado e conciliado. Por sinal, o nome dado a esse livro-razão é *blockchain*.

Ao economista: Bitcoin é uma moeda, um meio de troca, embora ainda pouco líquida quando comparada às demais moedas existentes no mundo. Em algumas regiões de opressão monetária, é cada vez mais usada como reserva de valor. Uma característica peculiar é a sua oferta limitada em 21 milhões de unidades, a qual crescerá paulatinamente a uma taxa decrescente até alcançar esse limite máximo. Embora intangível, o protocolo do Bitcoin garante, assim, uma escassez autêntica. Como unidade de conta, pode-se afirmar que ainda não é empregada como tal, devido, especialmente, à sua volatilidade recente. Ademais, Bitcoin é também um sistema de pagamentos, o que significa que, pela primeira vez na história da humanidade, a unidade monetária está aliada ao sistema bancário e de pagamento e é parte intrínseca dele.

Ao jurista: bitcoins, como unidade monetária, são mais bem considerados um bem incorpóreo que, em certos mercados, têm sido aceitos em troca de bens e serviços. Poderíamos dizer que essas transações constituem uma permuta, e jamais venda com pagamento em dinheiro, pois a moeda, em cada jurisdição, é definida por força de lei, sendo uma prerrogativa de exclusividade do estado.

Ao pessoal de TI: Bitcoin é um software de código-fonte aberto, sustentado por uma rede de computadores distribuída (*peer-to-peer*) em que cada nó é simultaneamente cliente e servidor. Não há um servidor central nem qualquer entidade controlando a rede. O protocolo do Bitcoin, baseado em criptografia avançada, define as regras de funcionamento do sistema, às quais todos os nós da rede aquiescem, assegurando um consenso generalizado acerca da veracidade das transações realizadas e evitando qualquer violação do protocolo.

Ao cientista físico: Bitcoin é um software que, portanto, inexiste materialmente. Uma unidade monetária de bitcoin nada mais é do que um apontamento contábil eletrônico, no qual são registrados a conta-corrente (o endereço do Bitcoin ou a chave pública) e o saldo de bitcoins em dado momento. Nesse sentido, uma unidade de bitcoin não difere em nada de uma unidade de real ou dólar depositada em um banco, pois é igualmente um mero registro contábil eletrônico. Mas há uma grande diferença; no caso do Bitcoin, o espaço no qual os registros são efetuados é único, universal e compartilhado por todos os usuários (o *blockchain*), enquanto no sistema atual, cada banco detém e controla o seu registro de transações (o seu próprio livro-razão).

Longe de serem exaustivas, essas breves explicações servem para elucidar um pouco e de forma rápida o significado do fenômeno.

O que o Bitcoin representa pode variar de acordo com a ocupação e a realidade de cada pessoa. Mas, sem dúvida alguma, é uma tecnologia revolucionária, e isso independe de qualquer interpretação pessoal.

Referências

ANDREESSEN, Marc. **Why Bitcoin Matters**. 22 jan. 2014. Disponível em: <http://blog.pmarca.com/2014/01/22/why-bitcoin-matters/>. Acesso em: 26 jan. 2014.

BAGUS, Philipp. **Monetary Reform and Deflation** – A Critique of Mises, Rothbard Huerta de Soto and Sennholz. New Perspectives on Political Economy, Volume 4, Number 2, 2008. pp. 131-157.

______. **Monetary Reform** – The Case for Button-Pushing. New Perspectives on Political Economy, Volume 5, Number 2, 2009. pp. 111-128.

BERNANKE, Ben. Monetary Policy since the Onset of the Crisis. **Federal Reserve,** 31 ago. 2012. Disponível em: < http://www.federalreserve.gov/newsevents/speech/bernanke20120831a.htm>. Acesso em: 27 dez. 2013.

BÖHM-BAWERK, Eugen. **Whether Legal Rights And Relationships Are Economic Goods**. Shorter Classics Of Eugen Von Böhm-Bawerk Volume I, South Holland: Libertarian Press, 1962.

BRITO e CASTILLO. **Bitcoin**: A Primer for Policymakers. Arlington: Mercatus Center at George Mason University, 2013.

BRITO, Jerry. **The Top 3 Things I Learned at the Bitcoin Conference**. Reason, 20 mai. 2013. Disponível em: <http://reason.com/archives/2013/05/20/the-top-3-things-i-learned-at-the-bitcoi>. Acesso em: 12 dez. 2013.

______. National Review Gets Bitcoin Very Wrong. **Technology Liberation Front,** 20 jun. 2013. Disponível em: <http://techliberation.com/2013/06/20/national-review-gets-bitcoin-very-wrong/>. Acesso em: 14 dez. 2013.

BUTERIN, Vitalik. Bitcoin Store Opens: **All Your Electronics Cheaper with Bitcoins**. Bitcoin Magazine, 5 nov. 2012. Disponível em: <http://bitcoinmagazine.com/bitcoin-store-opens-all-your-electronics-cheaper-with-bitcoins/>. Acesso em: 10 dez. 2013.

CHRISTIN, Nicolas. Traveling the Silk Road: A Measurement Analysis of a Large Anonymous Online Marketplace. **Carnegie Mellon CyLab Technical Reports**: CMU-CyLab-12-018, 30 jul. 2012 (atualizado em 28 Nov. 2012). Disponível em: <http://www.cylab.cmu.edu/files/pdfs/tech_reports/CMUCyLab12018.pdf>. Acesso em: 14 dez. 2013.

COLDEWEY, Devin. $250,000 **Worth of Bitcoins Stolen in Net Heist**. NBC News, 5 set. 2012. Disponível em: <http://www.nbcnews.com/technology/250-000-worth-bitcoins-stolen-net-heist-980871>. Acesso em: 14 dez.2013.

DAI, Wei. **Bmoney**. Disponível em: <http://www.weidai.com/bmoney.txt>. Acesso em: 21 dez. 2013.

DUNCAN, Andy. The Great Gold vs. Bitcoin Debate: Casey vs. Matonis. **Lew Rockwell**, 15 abr. 2013. Disponível em: <http://lewrockwell.com/orig11/duncan-a4.1.1.html>. Acesso em: 20 mai. 2013.

FARRELL, Maureen. **Strategist Predicts End of Bitcoin**. CNNMoney, 14 mai.2013. Disponível em: <http://money.cnn.com/2013/05/14/investing/bremmer-bitcoin/index.html>. Acesso em: 13 dez. 2013.

FONG, Jeff. **How Bitcoin Could Help the World's Poorest People**. PolicyMic, mai. 2013. Disponível em: <http://www.policymic.com/articles/41561/bitcoin-price-2013-how-bitcoin-could-help-the-world-s-poorest-people>. Acesso em: 12 dez. 2013.

GERTCHEV, Nikolay. **The Money-ness of Bitcoins**. Mises Daily, Auburn: Ludwig von Mises Institute, 4 abr. 2013. Disponível em: <http://mises.org/daily/6399/The-Moneyness-of-Bitcoins>. Acesso em: 22 dez. 2013.

GRAF, Konrad S. **Bitcoins, the regression theorem, and that curious but unthreatening empirical world**. 27 fev. 2013. Disponível em: <http://konradsgraf.com/blog1/2013/2/27/in-depth-bitcoins-the-regression-theorem-and-that-curious-bu.html>. Acesso em: 22 dez. 2013.

______. **The sound of one bitcoin**: Tangibility, scarcity, and a "hard-money" checklist, 19 mar. 2013. Disponível em: <http://konradsgraf.com/blog1/2013/3/19/in-depth-the-sound-of-one-bitcoin-tangibility-scarcity-and-a.html>. Acesso em: 22 dez. 2013.

______. **On The Origins Of Bitcoin**. 3 dez. 2013. Disponível em: <http://konradsgraf.squarespace.com/storage/On%20the%20Origins%20of%20Bitcoin%20Graf%2003.11.13.pdf>. Acesso em: 5 dez. 2013.

GURRI, Adam. **Bitcoins, Free Banking, and the Optional Clause**. Ümlaut, 6 mai. 2013. Disponível em: <http://theumlaut.com/2013/05/06/bitcoins--free-banking-and-the-optional-clause/>. Acesso em: 13 dez. 2013.

HAYEK, F. A. **Good Money, Part 2: The Standard**, edited by Stephen Kresge. London: The University of Chicago Press Routledge, 1999.

______. A. **Desestatização do Dinheiro**. São Paulo: Instituto Ludwig von Mises Brasil, 2011.

HEARN, Mike. Bitcoin 2012 London: Mike Hearn. YouTube video, 28:19, publicado por "**QueuePolitely**," 27 set. 2012. Disponível em: <http://www.youtube.com/watch?v=mD4L7xDNCmA>. Acesso em: 13 dez. 2013.

HUERTA DE SOTO, Jesús. **Moeda, crédito bancário e ciclos econômicos**. São Paulo: Instituto Ludwig von Mises Brasil, 2012.

HÜLSMANN, Jörg Guido. **The Ethics of Money Production**. Auburn: Ludwig von Mises Institute, 2008.

KAMINSKY, Dan. I Tried Hacking Bitcoin and I Failed. **Business Insider**, 12 abr. 2013. Disponível em: <http://www.businessinsider.com/dan--kaminsky-highlights-flaws-bitcoin-2013-4>. Acesso em: 13 dez. 2013.

KELLY, Meghan. Fool Me Once: Bitcoin Exchange Mt.Gox Falls after Third DDoS Attack This Month. **VentureBeat**, 21 abr. 2013. Disponível em: <http://venturebeat.com/2013/04/21/mt-gox-ddos/>. Acesso em 14 dez. 2013.

KEYNES, John Maynard. **As Consequências Econômicas da Paz**. Brasília: UnB, 2002.

KIRK, Jeremy. Could the Bitcoin Network Be Used as an Ultrasecure Notary Service? **ComputerWorld**, 23 mai. 2013. Disponível em: <http://www.computerworld.com/s/article/9239513/Could_the_Bitcoin_network_be_used_as_an_ultrasecure_notary_service_>. Acesso em: 13 dez. 2013.

LEE, Timothy B. **An Illustrated History of Bitcoin Crashes**, Forbes, 11 abr. 2013. Disponível em: <http://www.forbes.com/sites/timothylee/2013/04/11/an-illustrated-history-of-bitcoin-crashes/>. Acesso em: 13 dez. 2013.

LIU, Alec. A Guide to Bitcoin Mining. **Motherboard**, 2013. Disponível em: <http://motherboard.vice.com/blog/a-guide-to-bitcoin-mining-why--someone-bought-a-1500-bitcoin-miner-on-ebay-for-20600>. Acesso em: 10 dez. 2013.

MALTBY, Emily. **Chargebacks Create Business Headaches**. Wall Street Journal, 10 fev. 2011. Disponível em: <http://online.wsj.com/article/SB10001424052748704698004 576104554234202010.html>. Acesso em: 10 dez. 2013.

MATONIS, Jon. **Bitcoin Prevents Monetary Tyranny**, Forbes, 4 abr. 2012. Disponível em: <http://www.forbes.com/sites/jonmatonis/2012/10/04/bitcoin-prevents-monetary-tyranny/>. Acesso em: 15 mai. 2013.

_____. **Bitcoin's Promise in Argentina**. Forbes, 27 abr. 2013. Disponível em: <http://www.forbes.com/sites/jonmatonis/2013/04/27/bitcoins--promise-in-argentina/>. Acesso em: 12 dez. 2013.

_____. **How Cryptocurrencies Could Upend Banks' Monetary Role**. The Monetary Future, 15 mar. 2013. Disponível em: <http://themonetaryfuture.blogspot.com.br/2013/03/how-cryptocurrencies-could-upend--banks.html>. Acesso em: 22 dez. 2013.

MEIRA PENNA, J.O. de. **Em berço esplêndido** – ensaios de psicologia coletiva brasileira. Rio de Janeiro: Topbooks, 1999.

MENGER, Carl. **On the Origins of Money**. Economic Journal, 1892. pp. 239-255.

_____. **Principles of Economics**. Traduzido por James Dingwall e Bert Hoselitz, Free Press of Glencoe, Illinois, 1950; e New York University Press, Nova York 1981.

MIERS, Ian et al. **Zerocoin**: Anonymous Distributed E-Cash from Bitcoin, working paper, the Johns Hopkins University Department of Computer Science, Baltimore, MD, 2013. Disponível em: <http://spar.isi.jhu.edu/~mgreen/ZerocoinOakland.pdf>. Acesso em: 13 dez. 2013.

MISES, Ludwig von. **Theorie des Geldes und Umlaufsmittel**. Munique: Verlag von Duncker & Humblot, 1924.

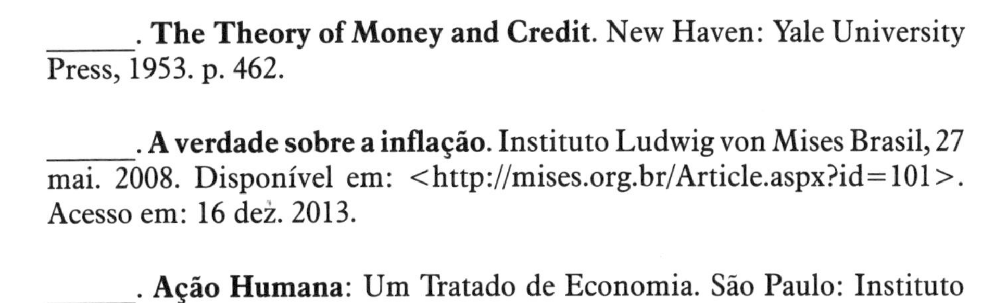

______. **The Theory of Money and Credit**. New Haven: Yale University Press, 1953. p. 462.

______. **A verdade sobre a inflação**. Instituto Ludwig von Mises Brasil, 27 mai. 2008. Disponível em: <http://mises.org.br/Article.aspx?id=101>. Acesso em: 16 dez. 2013.

______. **Ação Humana**: Um Tratado de Economia. São Paulo: Instituto Ludwig von Mises Brasil, 2010.

______. **On Money and inflation** – A Synthesis of Several Lectures. Auburn: Ludwig von Mises Institute, 2010.

NAKAMOTO, Satoshi. **Bitcoin**: a Peer-to-Peer Electronic Cash System, 2008. Disponível em: <http://article.gmane.org/gmane.comp.encryption.general/12588/>. Acesso em: 20 dez. 2013.

OBER, KATZENBEISSER e HAMACHER. Structure and Anonymity of the Bitcoin Transaction Graph. **Future Internet** 5, no. 2, 2013. Disponível em: <http://www.mdpi.com/1999-5903/5/2/237>. Acesso em: 10 dez. 2013.

PAUL, Andrew. Is Bitcoin the Next Generation of Online Payments? **Yahoo! Small Business Advisor**, 24 mai. 2013. Disponível em: <http://smallbusiness.yahoo.com/advisor/bitcoin-next-generation-online-payments-213922448--finance.html>. Acesso em: 11 dez. 2013.

PIERRE. **The Bitcoin Central Bank's Perfect Monetary Policy**. The Mises Circle, 15 dez. 2013. Disponível em: <http://themisescircle.org/blog/2013/12/15/the-bitcoin-central-banks-perfect-monetary-policy/>. Acesso em: 27 dez. 2013.

PINAR ARDIC, HEIMANN e MYLENKO. **Access to Financial Services and the Financial Inclusion Agenda around the World**. Policy Research Working Paper, World Bank Financial and Private Sector Development Consultative Group to Assist the Poor, 2011. Disponível em: <https://openknowledge.worldbank.org/bitstream/handle/10986/3310/WPS5537.pdf>. Acesso em: 12 dez. 2013.

REISMAN, George. **Deflação, prosperidade e padrão-ouro**. Instituto Ludwig von Mises Brasil, 16 ago. 2010. Disponível em: <http://mises.org.br/article.aspx?id=752>. Acesso em: 25 dez. 2013.

RICKARDS, James. **Currency Wars**. New York: Penguin, 2011.

ROTHBARD, Murray N. **The Case for a 100 Percent Gold Dollar**. The Ludwig von Mises Institute, Auburn University, Alabama, 1991.

_____. **Economic Thought before Adam Smith**: An Austrian Perspective on the History of Economic Thought. v. 1, Edward Elgar, Aldershot, Inglaterra, 1995 (Edição espanhola, Unión Editorial, Madri 1999).

_____. **Classical Economics**: An Austrian Perspective on

the History of Economic Thought, vol. II, Edward Elgar, Aldershot, Inglaterra, 1995 (Edição espanhola, Unión Editorial, Madri 2000).

_____. **Man, Economy and State with Power and Market**. Auburn: Ludwig von Mises Institute, 2004.

_____. **O que o governo fez com o nosso dinheiro?** São Paulo: Instituto Ludwig von Mises Brasil, 2013.

RUSSO, Camila. **Bitcoin Dreams Endure to Savers Crushed by CPI: Argentina Credit**. Bloomberg, 16 abr. 2013. Disponível em: <http://www.bloomberg.com/news/2013-04-16/bitcoin-dreams-endure-to-savers--crushed-by-cpi-argentina-credit.html>. Acesso em: 12 dez. 2013.

SALMON, Felix. **The Bitcoin Bubble and the Future of Currency**. Medium, 3 abr. 2013. Disponível em: <https://medium.com/money--banking/2b5ef79482cb>. Acesso em: 13 dez. 2013.

SCHLICHTER, Detlev. **Paper Money Collapse** – the folly of elastic money and the coming monetary breakdown. New Jersey: John Wiley & Sons, 2011.

SENNHOLZ, H.F. **Money and Freedom**. Spring Mills: Libertarian Press, 1985.

SHOSTAK, Frank. **The Bitcoin Money Myth. Mises Daily**. Auburn: Ludwig von Mises Institute, 17 abr. 2013. Disponível em: <http://mises.org/daily/6411/The-Bitcoin-Money-Myth>. Acesso em: 22 dez. 2013.

SPARSHOTT, Jeffrey. **Bitcoin Exchange Makes Apparent Move to Play by U.S. Money-Laundering Rules**. Wall Street Journal, 28 jun. 2013. Disponível em: <http://online.wsj.com/article/SB10001424127887323873904578574000957464468.html>. Acesso em: 14 dez. 2013.

SPAVEN, Emily. **Kipochi launches M-Pesa Integrated Bitcoin Wallet in Africa**. CoinDesk, 19 jul. 2013. Disponível em: <http://www.coindesk.com/kipochi-launches-m-pesa-integrated-bitcoin-wallet-in-africa/>. Acesso em 12 dez. 2013.

ŠURDA, Peter. **Economics of Bitcoin**: is Bitcoin an alternative to fiat currencies and gold? Diploma Thesis, Wirtschaftsuniversität Wien, 2012. Disponível em: <http://dev.economicsofbitcoin.com/mastersthesis/mastersthesis-surda-2012-11-19b.pdf>. Acesso em: 15 abr. 2013.

TINDELL, Ken. Geeks Love the Bitcoin Phenomenon Like They Loved the Internet in 1995. **Business Insider**, 5 abr. 2013. Disponível em: <http://www.businessinsider.com/how-bitcoins-are-mined-and--used-2013-4>. Acesso em: 10 dez. 2013.

Triennial Central Bank Survey of foreign exchange and derivatives market activity in 2013. Disponível em: <http://www.bis.org/publ/rpfx13fx.pdf>. Acesso em: 10 jan. 2014.

TUCKER e KINSELLA. **Goods, Scarce and Nonscarce**. Mises Daily, Auburn: Ludwig von Mises Institute, 25 ago. 2010. Disponível em: <http://mises.org/daily/4630/>. Acesso em: 22 dez. 2013.

ULRICH, Fernando. Uma semana histórica para o Bitcoin. **InfoMoney**, 13 jan. 2014. Disponível em: <http://www.infomoney.com.br/blogs/moeda-na-era-digital/post/3143266/uma-semana-historica-para-bitcoin>. Acesso em: 13 jan. 2013.

WARREN, Jonathan. **Bitmessage**: A Peer-to-Peer Message Authentication and Delivery System, white paper, 27 nov. 2012. Disponível em: <https://bitmessage.org/bitmessage.pdf>. Acesso em: 13 dez. 2013.

WILLETT, J. R. **The Second Bitcoin Whitepaper**. White paper, 2013. Disponível em: <https://sites.google.com/site/2ndbtcwpaper/2ndBitcoin Whitepaper.pdf>. Acesso em: 13 dez. 2013.

WOLF, Brett. Senators Seek Crackdown on 'Bitcoin' Currency. **Reuters**, 8 jun. 2011. Disponível em: <http://www.reuters.com/article/2011/06/08/us-financial-bitcoins-idUSTRE7573T320110608>. Acesso em: 14 dez. 2013.

WOODS Jr., Thomas E. **Meltdown**. Washington: Regnery Publishing, 2009.

World Bank Payment Systems Development Group, **Remittance Prices Worldwide**: An Analysis of Trends in the Average Total Cost of Migrant Remittance Services. Washington, DC, World Bank, 2013. Disponível em: <http://remittanceprices.worldbank.org/~/media/FPDKM/Remittances/Documents/RemittancePriceWorldwide-Analysis-Mar2013.pdf>. Acesso em: 11 dez. 2013.

YUNUS, Muhammad. **Banker to the Poor**: Micro-lending and the Battle against World Poverty. New York: Public Affairs, 2003.

Gostaria de reconhecer o nosso trabalho de alguma forma?
Quem sabe uma doação em bitcoins?

1Gop4XMfVDgEvBqsmj52myuiLtTCHu3SNT
Fernando Ulrich

1AqtUY3iBAkkbKW73uXbU21qn7pva8pBYx
Instituto Ludwig von Mises Brasil

Impressão e Acabamento | Gráfica Viena
Todo papel desta obra possui certificação FSC® do fabricante.
Produzido conforme melhores práticas de gestão ambiental (ISO 14001)
www.graficaviena.com.br